CW00410483

LA CONSOLATION DE L'ANGE

Frédéric Lenoir est philosophe et sociologue. Il mène depuis plusieurs années une réflexion sur la sagesse et l'art de vivre. Il est l'auteur de nombreux livres – essais et romans –, traduits dans une vingtaine de langues. Ses récents ouvrages, *Du bonheur, un voyage philosophique, La Puissance de la joie* et *Le Miracle Spinoza* ont été en tête des listes de best-sellers.

FRÉDÉRIC LENOIR

La Consolation de l'ange

ROMAN

ALBIN MICHEL

À la mémoire de Victor Hugo
et d'Etty Hillesum

Tout le chemin de la vie, c'est de passer de l'inconscience à la conscience, de la peur à l'amour.

1

Pologne, janvier 1945

La souffrance m'a enfin quittée. Je ne sens plus ces atroces douleurs dans mon dos et dans ma nuque. Je n'ai même plus froid. Quel soulagement ! En fait, je ne ressens plus du tout mon corps. J'essaie d'ouvrir les yeux, mais mes paupières semblent ne plus obéir à ma volonté. Je n'entends aucun son. Mon corps a cessé de me torturer, mais mon esprit est troublé. Pourquoi je ne ressens plus rien ? Que s'est-il passé ?

France, juillet 2019

Le brancard quitte le service de réanimation. Poussé par une vigoureuse aide-soignante, il franchit le seuil du centre de soins de suite et de réadaptation. Un infirmier regarde le corps du jeune homme allongé les yeux clos et interpelle l'aide-soignante :

— Il est dans le coaltar ?

— Oui, il sort de la salle de réveil. Lavage d'estomac. On m'a dit de l'amener chambre 27.

— Il aurait pu plus mal tomber ! La 27, c'est Madame Blanche. En bout de course, mais un rayon de soleil. Jamais une plainte. Tout le personnel l'adore. Mais c'est curieux qu'on mette un jeune homme dans la même chambre qu'une femme âgée.

— Pas le choix : plus d'autre lit disponible dans le service.

Aidée par l'infirmier, l'aide-soignante pousse le brancard jusqu'à la chambre.

— Bonjour, Madame Blanche ! On vous amène un peu de compagnie ! lance l'infirmier en pénétrant dans la pièce.

Le sourire enfantin de la vieille dame contraste avec sa peau décharnée et ses yeux noirs enfoncés dans leurs orbites creuses.

— Mon Dieu ! Il est si jeune ! s'exclame Blanche.

— Vingt ans.

— Qu'a-t-il donc ?

— Il a fait une TS hier soir, mais il est sauvé. Il ne va pas tarder à revenir à lui.

— Une quoi ?

— Une tentative de suicide. On en voit de plus en plus chez les jeunes.

— Quel malheur…

L'aide-soignante et l'infirmier finissent d'installer le jeune homme sur le lit et quittent la chambre. Blanche tourne son visage vers celui de son nouveau voisin. Elle ne peut s'empêcher de murmurer :

— Que tu es beau !

En le regardant, une émotion profonde la submerge. Ce jeune homme lui rappelle son fils unique, Jean, mort au même âge. Il était plein de projets et d'envie de vivre lorsqu'une voiture l'avait fauché. Pourquoi donc ce garçon a-t-il commis un tel acte ? « Au moins, il est sauf, et ses parents ne

seront pas confrontés à la tragédie de son décès»,
songe-t-elle. Mais quel drame a-t-il vécu pour ne
plus vouloir vivre ?

3

Pologne, janvier 1945

Ça y est, ça me revient. Cette marche dans la neige qui n'en finissait plus. L'épuisement. La soif. Le soldat qui m'a donné des coups de crosse dans le dos parce que je ne marchais pas assez vite. Cette chute et ces douleurs atroces. Ce froid qui me ronge. Et puis... plus rien. Où suis-je maintenant ? Pourquoi je ne sens plus mon corps ? Pourquoi mes yeux ne voient plus, mes oreilles n'entendent plus ? Comme c'est étrange cette nuit... ce silence.

France, juillet 2019

Le jeune homme reprend conscience. Il ouvre les yeux et les promène autour de lui. Son regard finit par croiser celui de Blanche.

— Je suis où ?

— À l'hôpital, mon jeune ami, répond la vieille femme en souriant.

Le garçon baisse les paupières et pousse un profond soupir. Blanche constate qu'il serre les poings. Elle voit couler ses larmes.

— Par bonheur, tu es sain et sauf.

— Par malheur, oui…, murmure-t-il avant de laisser sa tête retomber sur le côté.

Blanche est troublée par cette réponse, mais fait comme si de rien n'était, d'autant qu'il lui semble que le garçon s'est rendormi. Après un long moment, il rouvre les yeux et réclame à boire. Blanche lui désigne de la main le verre d'eau posé sur la petite table de chevet qui sépare leurs lits. Il ajuste ses oreillers, se saisit de la télécommande, et redresse son lit en position assise. Après avoir bu, il referme les yeux en soupirant à nouveau.

— Comment t'appelles-tu ?

Le jeune homme demeure silencieux. Sa respiration se fait plus lente.

— Je serais heureuse de connaître ton nom, poursuit Blanche avec ténacité, mais sur un ton empreint d'une grande douceur.

— Hugo, finit par lâcher le garçon de manière à peine audible.

— Hugo ! Quel magnifique prénom ! Cela me fait penser à mon auteur préféré : Victor Hugo. Tu connais ?

Hugo tourne lentement la tête vers Blanche.

— C'est pour cette raison que mes parents m'ont appelé comme ça. Ma mère était prof de lettres… c'était aussi son écrivain préféré.

— Était… elle a pris sa retraite ?

— En quelque sorte… elle est morte quand j'avais dix ans.

— Oh, je suis désolée !

— Pas de souci, marmonne Hugo en esquissant un timide sourire pour déculpabiliser Blanche, dont il devine la bienveillance.

— Tu as des frères et sœurs ?

— Une petite sœur.

— Comment s'appelle-t-elle ?

— Louise.

— Vous êtes proches ?

— Surtout quand on était petits. On s'est un peu éloignés en grandissant. Mais on s'entend bien. Et comme maman, elle aussi aime beaucoup Victor Hugo.

— Merveilleux ! Et toi ? L'as-tu lu ?

Hugo fixe le plafond. Il n'a pas vraiment envie de poursuivre cette conversation, mais cette inconnue ne lui est pas antipathique, bien au contraire. Il essaie de rassembler ses souvenirs.

— Au lycée. Je trouvais sa poésie un peu lourde et ampoulée.

— C'est vrai, en partie. Mais il y a des trésors qui n'ont pas pris une ride. Dans *Les Contemplations* surtout. Tiens, regarde, j'en ai toujours un exemplaire avec moi.

Blanche soulève un petit ouvrage assez épais avec une reliure cartonnée ancienne. Hugo le regarde et esquisse un sourire. Il reprend sur un ton plus avenant :

— En fait, je l'ai pas vraiment lu en dehors des textes qu'on devait étudier à l'école. Je me souviens d'un poème qui m'avait marqué. C'était l'histoire d'un crapaud martyrisé par des enfants et d'un âne qui a pitié de lui…

— Quel poème bouleversant ! Après l'avoir torturé, les enfants finissent par l'abandonner, à moitié déchiqueté mais encore vivant, sur le chemin.

Une carriole tirée par un âne tout aussi maltraité par son maître arrive alors et l'âne, à grand-peine, dévie sa route afin d'éviter que la roue du chariot n'écrase le malheureux crapaud.

— C'est ça... Je devais avoir douze ou treize ans quand on l'avait étudié à l'école et je crois que j'avais pleuré.

— Et moi j'en pleure encore, murmure Blanche, les yeux humides. C'est un poème de *La Légende des siècles*. Je ne l'ai pas avec moi. Mais je le connaissais par cœur, comme beaucoup d'autres. Veux-tu que je t'en récite un bref passage qui est resté gravé en moi ?

— Volontiers.

Blanche ferme les yeux et tourne son regard vers le tréfonds de sa mémoire de petite fille, lorsqu'elle avait appris ce poème, vers l'âge de neuf ou dix ans. Elle se souvient avoir vu un jeune chat se faire persécuter par des adolescents. Bouleversée, elle avait appelé sa mère qui était sortie en courant pour sauver le petit animal de la cruauté de ces jeunes. Elle l'avait soigné et adopté. Blanche se souvient aussi d'un fait singulier. Elle avait été alertée par les aboiements d'un vieux chien solitaire, une sorte de clochard sans nom, qui traînait dans les rues du quartier en survivant des quelques restes que les habitants voulaient bien lui donner. Le chien aboyait si fort, ce qui n'était pas dans ses habitudes, que Blanche était sortie voir ce qui se passait et avait ainsi découvert la scène de ces jeunes désœuvrés qui martyrisaient le chat. Comme elle relatait cette histoire à sa mère, celle-ci lui avait dit que les animaux avaient parfois plus de compassion que bien des humains. Elle lui avait ensuite donné à lire ce poème d'Hugo : «Le crapaud». Il avait tellement marqué Blanche qu'elle l'avait appris par cœur et le récitait souvent à Nathan, son petit frère. Sa mémoire est aujourd'hui un peu altérée, mais elle se souvient encore de ces quelques vers qu'elle commence à dire à haute voix à l'intention d'Hugo :

Le baudet qui, rentrant le soir, surchargé, las,
Mourant, sentant saigner ses pauvres sabots plats,
Fait quelques pas de plus, s'écarte et se dérange
Pour ne pas écraser un crapaud dans la fange,
Cet âne abject, souillé, meurtri sous le bâton,
Est plus saint que Socrate et plus grand que Platon.

5

Pologne, janvier 1945

La lumière revient ! Je vois à nouveau. Tout est blanc. Je distingue une forme. On dirait un corps humain allongé sur un drap blanc. Non, ce n'est pas un drap, c'est la neige. Il y a un corps de femme étendu sur la neige, qui le recouvre en partie. Il y a du rouge à côté de son visage. Un filet de sang s'écoule de sa tempe gauche. Sa tête a heurté cette grosse pierre. C'est de plus en plus net. Si elle n'a pas succombé à sa chute, cette pauvre femme doit être morte gelée. Je distingue maintenant son visage givré. Mon Dieu ! Mais… c'est moi !

6

France, juillet 2019

Hugo a écouté Blanche les yeux fermés. Il reste quelques minutes silencieux, puis il tourne la tête vers elle :

— Oui, cet âne nous donne une leçon de bonté...

— Et il n'y a rien de plus grand sous les cieux que la bonté ! déclare Blanche.

— C'est si rare...

— Certes, mais un seul acte de pure bonté justifie toute la vie.

— C'est choquant ce que vous dites. Comment un seul acte de bonté, aussi beau soit-il, pourrait-il rattraper toutes les horreurs et tous les actes de barbarie commis depuis la nuit des temps ?

— Il ne rattrape rien et n'excuse rien. Mais il montre que la vie peut valoir la peine d'être vécue... malgré tout.

— C'est facile à dire si on a été épargné par les épreuves de l'existence !

Blanche fixe Hugo.

— Quelles épreuves as-tu traversées ?

Hugo est surpris, déstabilisé par le regard pénétrant et la question si directe de Blanche. Il ne souhaite pas parler de lui, de ce qui lui est arrivé. Pas encore. Alors il finit par répondre, un peu embarrassé :

— Il suffit de regarder les nouvelles pour voir que plein de gens souffrent, qu'il y a de la misère, des crimes horribles et des injustices partout. Je sais pas quel âge vous avez, mais vous avez assez vécu pour le savoir et vous avez sûrement vous-même traversé des épreuves.

— Je suis née en 1927, mon jeune ami. Tu peux donc avoir une idée de mon âge ! s'exclame Blanche avec un faux air de coquetterie.

Hugo se dit qu'elle doit avoir plus ou moins quatre-vingt-douze ans.

— Et cela fait bien longtemps que je ne regarde plus la télévision et que je n'écoute plus « les nouvelles », comme tu dis, poursuit Blanche sur un ton ironique. Car de quelles nouvelles parlons-nous ? Du monde tel qu'il est ? De la vraie vie de milliards d'individus ? Ou du spectacle médiatisé de tout ce qui va mal dans le monde ? En effet, si tu confonds le monde avec les nouvelles qu'en donnent le journal, la radio, la télévision ou ton téléphone portable, il y a de quoi être désespéré ! Mais pour moi, le monde que je vois autour de moi se porte plutôt bien, même si en France on aime se plaindre de tout !

— Vous n'avez pas le sentiment que le monde est devenu fou, qu'il va de plus en plus mal ?

— Pas vraiment, mon jeune ami ! Quand j'étais enfant on mourait de plein de maladies qui ont été éradiquées. Je vivais dans un quartier où on pouvait se faire trucider à chaque coin de rue. Et lorsque mon père a perdu son emploi, il n'y avait aucune aide sociale pour nous secourir. Lorsque j'avais ton âge, nous sortions d'une guerre atrocement meurtrière, alors que de nos jours les Européens vivent en paix. Je pourrais continuer ainsi longtemps, Hugo. On avait cinquante fois plus de risques de mourir d'une agression humaine au temps de l'Empire romain que de nos jours. La violence ne fait que reculer au fil des siècles. Crois-moi, à bien des égards, il fait meilleur vivre à notre époque qu'avant.

— Et le terrorisme, c'est pas une guerre pour vous ?

— Bien sûr, c'est tragique. Mais qu'est-ce que c'est à côté des dizaines de millions de morts de la seconde guerre mondiale et du goulag soviétique ? Tous les conflits armés de notre temps font annuellement moins de morts que le tabac ou l'alcool !

— Peut-être, mais on vit en permanence dans des guerres. L'histoire est pleine de violence.

— Le conflit est le moteur même de l'Histoire, mon ami. C'est bien triste, en effet. Ce serait tellement mieux si on pouvait vivre sans conflits, mais le cœur de l'homme est ainsi fait que c'est impossible ! Je vais sans doute te choquer, mais le conflit peut aussi avoir ses vertus. Si on regarde en arrière, on s'aperçoit que bien des conflits ont permis à l'humanité de progresser. Sans la violence de la Révolution française, nous vivrions peut-être toujours sous la tyrannie d'un monarque et celle de la religion. S'il n'y avait pas eu la guerre de Sécession, l'esclavage existerait peut-être encore aux États-Unis. Sans ces deux guerres atrocement meurtrières au XXᵉ siècle, l'Europe n'existerait sans doute pas, car peut-être fallait-il aller aussi loin dans l'horreur pour qu'on en finisse avec ces idéologies nationalistes. Et qui sait si demain ces actes terroristes à répétition ne vont pas finir par produire l'effet inverse de ce qu'ils visent et finalement favoriser un vrai dialogue entre le monde occidental et le monde musulman ? Le conflit et la violence sont l'essence même de l'Histoire, mais pour moi nul doute qu'on assiste, malgré et à travers tous ces conflits, à un vrai progrès dans bien des domaines.

Après un moment de silence, Hugo esquisse un léger sourire.

— Dites donc, vous êtes une sacrée optimiste, vous !

Blanche rit.

— C'est quoi pour toi la différence entre les optimistes et les pessimistes ?

— La lucidité. Les optimistes ont tendance à regarder la vie en rose.

— Pas du tout ! Ils sont aussi lucides que les autres et voient le même monde sous leurs yeux. Mais tandis que les pessimistes disent : « C'est foutu ! », les optimistes disent : « Cherchons la solution pour nous en sortir ! »

— C'est clair alors : je suis grave un pessimiste !

— Et moi une vraie optimiste !

— Je ne connais pas votre nom.

— Blanche.

— C'est joli.

— Ce n'est pas mon vrai prénom. Je m'appelle Ruth, mais on m'a toujours appelée ainsi, aussi loin que remontent mes souvenirs. « Notre petite âme blanche », disait ma grand-mère, qui vivait à la maison, pour parler de moi. Et puis c'est devenu Blanche, et c'est resté.

Hugo tend la main vers la vieille femme.

— Enchanté, Blanche !

Elle la saisit et la serre avec une force qui étonne le jeune homme, compte tenu de son apparente faiblesse.

— Enchantée, Hugo !

Pologne, janvier 1945

Comment est-ce possible ? Comment puis-je voir mon propre corps, comme si j'étais placée au-dessus de lui ? Pourtant, c'est bien moi. Je reconnais ma tenue rayée, mes sabots boueux, ma silhouette squelettique à cause de toutes ces privations. Je peux même voir sur mon avant-bras gauche mon tatouage. Et je me souviens de cette marche en pleine nuit pour quitter le camp, à cause de l'arrivée des Russes. Je me souviens de mon épuisement, de ce froid glacial, de ma chute. Et puis plus rien. Où est maman ?

France, juillet 2019

Ils s'observent un long moment, les yeux dans les yeux. Puis Hugo, sentant le bras de la vieille femme trembler, finit par retirer sa main.

— Il n'y a donc rien qui vous inquiète ou vous révolte dans ce monde ? reprend le jeune homme, pensif.

— Bien sûr qu'il y a des tas de choses qui m'inquiètent et me révoltent ! Je te disais que le monde, à bien des égards, va mieux qu'avant, mais certaines choses sont très préoccupantes.

— Lesquelles ?

— Il y a encore près d'un milliard d'humains qui vivent sous le seuil d'extrême pauvreté et ça reste un scandale quand on voit l'opulence de nos vies. La terre aurait de quoi nourrir correctement tout le monde, si on savait partager. Je pense aussi à tous ceux qui sont obligés de quitter leur pays au risque de leur vie pour tenter de survivre en Europe et qu'on a tant de mal à accueillir. Et puis il y a la question écologique, évidemment. Si on continue à faire l'autruche, à vivre comme si de rien n'était, on court à une catastrophe majeure, sans doute la pire de toute l'histoire humaine.

— Je suis bien d'accord. J'ai voté pour la première fois aux dernières élections et je l'ai fait pour pouvoir voter écolo. Je suis écœuré par la manière dont on traite la planète, les sols, les arbres, les animaux. Regardez, on massacre la forêt amazonienne au profit des multinationales qui veulent y planter des champs de soja, pour nourrir des pauvres vaches qui sont parquées par centaines, ou par milliers, dans des fermes-prisons !

La mine grave, Blanche acquiesce d'un hochement de tête. Puis elle lui demande :

— Tu aimes la nature ?

— Oui. On a une maison à la lisière de la forêt de Brocéliande.

— Quelle chance !

— J'ai toujours kiffé me promener dans les bois. Ce sont peut-être mes meilleurs souvenirs d'enfance. Et vous ?

— Moi aussi, j'adore les arbres. Tu sais qu'ils ont une sensibilité et qu'ils communiquent entre eux et avec leur environnement ?

— Oui, j'ai lu un livre là-dessus. Ça ne m'étonne pas. Quand je suis entouré d'arbres, j'ai un sentiment de présence. Je ne suis pas croyant, mais je ressens quelque chose de particulier quand je suis seul dans une forêt.

— Oh, mon Dieu, moi aussi ! Permets-moi de te lire encore un poème de notre cher Victor Hugo, qui dit cela à merveille.

— Bien sûr !

Blanche connaît le poème par cœur mais, par sécurité, prend son livre qu'elle feuillette quelques instants. Son regard s'arrête sur une page qu'elle lit en silence avant de commencer sa lecture à haute voix, les yeux clos :

Arbres de la forêt, vous connaissez mon âme !
Au gré des envieux, la foule loue et blâme ;
Vous me connaissez, vous ! – vous m'avez vu
*   souvent,*
Seul dans vos profondeurs, regardant et rêvant.
Vous le savez, la pierre où court un scarabée,
Une humble goutte d'eau de fleur en fleur
*   tombée,*
Un nuage, un oiseau, m'occupent tout un jour.
La contemplation m'emplit le cœur d'amour.

Pendant la lecture du poème, Hugo ferme aussi les yeux. Il se revoit enfant, puis adolescent marcher dans les bois. Il se revoit s'asseoir au pied d'un grand chêne plusieurs fois centenaire. Il ressent encore sa force et sa sérénité.

Vous m'avez vu cent fois, dans la vallée obscure,
Avec ces mots que dit l'esprit à la nature,
Questionner tout bas vos rameaux palpitants,
Et du même regard poursuivre en même temps,
Pensif, le front baissé, l'œil dans l'herbe
    profonde,
L'étude d'un atome et l'étude du monde.
Attentif à vos bruits qui parlent tous un peu,
Arbres, vous m'avez vu fuir l'homme et chercher
    Dieu !

Après le décès de sa mère, il était allé crier sa colère et sa peine au milieu des bois. Puis il avait longuement enlacé son chêne, pleuré toutes les larmes de son corps et s'était senti un peu consolé.

Feuilles qui tressaillez à la pointe des branches,
Nids dont le vent au loin sème les plumes
    blanches,
Clairières, vallons verts, déserts sombres et doux,
    Vous savez que je suis calme et pur comme
    vous.
Comme au ciel vos parfums, mon culte à Dieu
    s'élance,
Et je suis plein d'oubli comme vous de silence !
La haine sur mon nom répand en vain son fiel ;
Toujours, – je vous atteste, ô bois aimés du ciel ! –

J'ai chassé loin de moi toute pensée amère,
Et mon cœur est encor tel que le fit ma mère !

Il se rappelle aussi que parfois, après une dispute, une déception amoureuse, ou lorsqu'il se sentait mal dans sa peau, il aimait chercher refuge auprès des arbres. Il retrouvait souvent la paix de l'âme.

Arbres de ces grands bois qui frissonnez toujours,
Je vous aime, et vous, lierre au seuil des antres
*   sourds,*
Ravins où l'on entend filtrer les sources vives,
Buissons que les oiseaux pillent, joyeux convives !
Quand je suis parmi vous, arbres de ces grands
*   bois,*
Dans tout ce qui m'entoure et me cache à la fois,
Dans votre solitude où je rentre en moi-même,
Je sens quelqu'un de grand qui m'écoute et qui
*   m'aime !*

Il se revoit caresser l'écorce si douce des bouleaux et contempler leur feuillage danser dans le vent. Il se souvient de ce matin, dans une clairière, où il avait vu un rayon de soleil percer à travers les branches, et ce sentiment d'unité et d'amour qu'il avait éprouvé.

Aussi, taillis sacrés où Dieu même apparaît,
Arbres religieux, chênes, mousses, forêt,

Forêt ! c'est dans votre ombre et dans votre
*   mystère,*
C'est sous votre branchage auguste et solitaire,
Que je veux abriter mon sépulcre ignoré,
Et que je veux dormir quand je m'endormirai.

Blanche referme le livre et reste un long moment silencieuse. Elle rayonne d'une joie intérieure profonde. Hugo aussi est ému. Se reconnecter à ces souvenirs heureux lui fait du bien.

Pologne, janvier 1945

Je dois être morte ! Mais alors, comment se fait-il que je puisse penser ? Et comment puis-je voir sans les yeux du corps ? Au moins, je n'ai plus mal et je n'ai plus froid. Je suis apaisée, mais une question m'obsède : qu'est devenue maman ? Elle marchait à mes côtés lorsque je suis tombée. Soudain, je me trouve auprès d'elle : elle marche avec les autres dans ce froid glacial. Je ressens la peine infinie de son cœur. J'aimerais lui dire que je suis là, mais je ne peux communiquer avec elle. Quel est ce son ? Je peux aussi entendre ? Un bourdonnement enfle dans mes oreilles. Je n'ai plus de corps, mais je peux voir, entendre et ressentir des émotions. Où suis-je ?

France, juillet 2019

Hugo finit par reprendre la parole :

— Merci, Blanche, pour cette belle lecture.

— Je t'en prie, ça me fait tellement plaisir de partager ces poèmes que j'aime tant.

— Vous allez dire que je suis pessimiste, mais vous n'êtes pas en colère contre la manière dont on traite les arbres ? Toutes ces forêts primaires qu'on rase et toutes ces espèces animales qui disparaissent à jamais ! Nous agissons sans aucune considération pour les autres êtres vivants, avec pour seul objectif le profit. Ce monde me dégoûte !

— Tu as bien raison. Et c'est mon autre grande inquiétude : notre civilisation est entièrement mue par l'appât du gain, la rentabilité, le bien-être matériel. Nous détruisons tous les équilibres naturels à une vitesse vertigineuse dans une quête effrénée de profit à court terme. Et du coup, nous oublions l'essentiel : pour s'épanouir, l'être humain a tout autant besoin de sens et de vivre en harmonie avec son environnement que de sécurité et de confort matériel. Si on veut s'en sortir, il va rapidement falloir apprendre à passer du «toujours plus» au «mieux être».

— Et vous y croyez, vous ?

— Pourquoi pas ! Ça dépend d'abord de chacun d'entre nous. N'attendons pas que les autres le fassent à notre place. Tu connais cette phrase de Gandhi : «Soyons le changement que nous voulons voir dans le monde» ?

Hugo demeure songeur quelques instants.

— C'est beau, mais ça me paraît utopique.

— Nombre d'utopies d'hier sont devenues les réalités d'aujourd'hui, mon ami ! Prenons l'exemple des premiers philosophes des Lumières. Au XVIIIe siècle déjà, ils préconisaient la démocratie avec un État de droit qui garantirait la liberté de conscience et d'expression de tous les citoyens. À l'époque, ça semblait totalement utopique et ils ont été moqués et persécutés. Puis leurs idées se sont imposées au fil des siècles et cela nous semble aujourd'hui le meilleur des systèmes politiques.

— Vous avez l'air d'avoir une sacrée culture, Blanche ! Vous faisiez quoi dans la vie ?

Blanche sourit.

— Ta maman était prof de lettres, eh bien moi, j'étais prof de philo. J'ai enseigné toute ma vie dans le secondaire, mais j'ai fait plein d'autres choses à côté.

Comme quoi ?

— Je me suis investie dans des associations : pour aider les jeunes dans les quartiers difficiles, pour les animaux, pour les droits des femmes. Et puis, tout me passionne dans la vie : la poésie, la musique, le cinéma, le théâtre, les voyages et j'en passe !

— Vous avez l'air d'aimer la vie.

— Je ne l'aime pas, je l'adore !

— Pourtant vous avez dû connaître aussi des moments douloureux, non ?

Blanche ferme les yeux et pousse un profond soupir. Puis elle les rouvre et répond :

— Mon Dieu, oui ! Bien plus que je n'aurais imaginé pouvoir en supporter en une seule existence ! Mais tu vois, la vie m'a donné la force de les traverser et j'ai connu beaucoup de grandes joies aussi ! Je pense d'ailleurs que les deux vont ensemble : plus notre âme a été meurtrie, plus elle peut recevoir de joie et laisser passer la lumière par ces fêlures.

Hugo est surpris, presque choqué par ces propos. Mais il ne se sent pas la force d'en discuter. Pas maintenant en tout cas. Après un temps de réflexion, il reprend :

— Pourquoi êtes-vous ici ?

— Pour mourir !

— Mourir ? Mais de quoi ?

— J'ai une insuffisance rénale grave et je suis en dialyse depuis des années. Tout fout le camp en moi et j'en ai assez d'être dialysée un jour sur deux. J'ai demandé qu'on arrête, il y a quatre jours. J'ai déjà bien assez vécu comme ça !

— Si je ne me trompe pas, on ne peut pas vivre une semaine sans dialyse, dans les cas les plus graves.

— C'est ce que m'a dit le médecin et c'est pour ça qu'on m'a mise ici, pour attendre la mort. Tu m'as l'air de t'y connaître sur le sujet. Tu as un proche qui est en dialyse ?

— Non, mais j'ai quelques connaissances en médecine.

— Ah ?

— Mon père est chirurgien..., ajoute Hugo en serrant les dents.

— Je comprends. Tu fais des études de médecine ?

Hugo regarde de l'autre côté par la fenêtre. Blanche comprend qu'elle a touché un point sensible et respecte son silence. Hugo finit par tourner son regard vers elle. Blanche constate qu'il a les yeux rouges.

— J'ai tenté de me suicider parce que j'ai échoué pour la troisième fois au concours de médecine… Je n'ai pas pu supporter l'idée de l'annoncer à mon père.

11

Pologne, janvier 1945

Le bourdonnement augmente. Je sens maintenant un souffle qui m'enveloppe. Ma vision
change : je vois un tunnel obscur. Le souffle
m'emporte dans le tunnel à une vitesse vertigineuse. Soudain, des images de mon passé
défilent avec une rapidité incroyable. Je me revois
petite fille jouant à la marelle dans le jardinet de
mes grands-parents. Je vois papa dans son cer-
cueil et le rabbin réciter des prières. Je me vois
tomber de la balançoire et pleurer jusqu'à être
réconfortée dans les bras de maman. Je me vois
avec mon petit frère aller enterrer un chat mort
et demander à Dieu de l'accueillir au paradis. Je
revois les bancs de l'école et ma meilleure amie,
Suzanne, penchée sur mon épaule pour copier
mon devoir. Je revois, plus tard, maman et grand-
mère s'inquiétant de la victoire des Allemands

et du sort de notre communauté. Je me vois la première fois accrocher cette étoile jaune sur ma robe de jeune fille pour que tout le monde sache que je suis juive. C'est étrange, car je ressens à la fois mes propres sentiments et ceux des autres. Et surtout, plus rien ne me trouble.

France, juillet 2019

Blanche a du mal à comprendre qu'on puisse tenter de mettre fin à ses jours en pleine fleur de l'âge, parce qu'on a échoué à un examen. Mais elle a suffisamment vécu pour savoir qu'on peut être enfermé dans la prison du cœur ou de l'esprit, qui nous empêche de prendre du recul sur les événements. Elle se demande comment Hugo a pu en arriver à un tel désespoir, mais ne sait comment le questionner sans qu'il se ferme.

— Avais-tu vraiment envie de réussir ce concours ? finit-elle par lâcher.

— Ça, c'est peut-être la bonne question, répond Hugo en esquissant un sourire. Je sais pas si j'ai la réponse, mais je me la suis posée.

— Tu voulais évidemment faire plaisir à ton père, mais as-tu une autre passion, un autre désir profond que tu n'as pas écouté pour suivre le même chemin que lui ?

— Je sais pas, il y a pas mal de choses que j'aime, mais de là à en faire un métier… Et puis, médecine, ça me plaît vraiment, surtout la biologie. Mais en première année, on fait quasiment que des maths et de la physique, c'est comme ça que se fait la sélection, et moi c'est pas ma passion. Deux années de suite, j'ai échoué de peu, et maintenant que je viens d'échouer une troisième fois, c'est fini pour moi.

— C'est ridicule de sélectionner des futurs médecins sur les maths !

— Oui, mais c'est comme ça qu'ils testent notre esprit logique et nos capacités à travailler comme des bêtes. On est comme des robots.

— On devrait plutôt vous sélectionner en fonction de vos qualités humaines, votre sens psychologique et de l'écoute, mais aussi de vos connaissances liées à la pratique de la médecine, comme l'anatomie ou la biologie.

Hugo éclate d'un rire nerveux.

— Ha, ha, ha ! C'est tellement loin de la réalité ! On parle de réformer les critères d'admission en deuxième année, là où s'opère la véritable sélection, mais de toute façon, c'est foutu pour moi.

— Qu'est-ce qui te passionne ? À quoi aimes-tu occuper ton temps libre ?

— Aux jeux vidéo !

Blanche éclate de rire.

— Vraiment ? À ton âge encore ?

— Je sais que c'est pas de votre génération, mais nous, on est nés avec une tablette numérique entre les mains. Comme ils étaient très occupés, mes parents nous laissaient déjà petits, ma sœur et moi, dans notre chambre à regarder des dessins animés ou à jouer sur des consoles. Et puis la tablette et l'ordinateur ont pris le relais et j'ai passé mon adolescence à jouer, connecté à des copains.

— Quel type de jeux ?

— Un peu de tout, mais surtout des jeux où on doit accomplir quelque chose : trouver un trésor, éliminer tous les adversaires, gagner des vies…

— Gagner des vies ! Ha ha ha ! Plutôt que de vivre, tu gagnes des vies en passant tout ton temps le nez collé à un écran ! Ha ha ha !

Blanche réalise soudain qu'elle a blessé Hugo, qui détourne le regard.

— Oh ! Je suis désolée, Hugo. Je ne voulais pas me moquer de toi. Mais c'est vrai que, pour moi, ce type de jeux m'apparaît surtout comme une fuite du monde réel. Je ne te juge pas, je veux juste partager ça avec toi.

Hugo regarde la vieille femme.

— C'est pas faux. Mais comme les études ne m'ont jamais passionné, comme presque tous mes copains, je me shoote à la dopamine dans les jeux.

— Tu te quoi ?

— Vous savez ce que c'est, la dopamine ?

— Une substance chimique qui apporte du bien-être, je crois ?

— Voilà. Notre corps en produit naturellement quand il est stimulé par une activité agréable sur laquelle on est totalement concentré. Ça peut être un sport, un film, une lecture passionnante. Mais surtout les jeux qui absorbent toute notre attention et nous stimulent en permanence. Il y a des chercheurs qui disent que toute notre vie, on fait que rechercher des shoots à la dopamine, que c'est ça qui guide tous nos choix.

— C'est intéressant comme théorie, même si je pense que c'est un peu réducteur.

— Pourquoi ?

— Parce que tous les êtres humains ne sont pas dans la recherche permanente du plaisir. C'est la différence entre le plaisir, satisfaction passagère d'un désir ou d'un besoin, et le bonheur, qui est un état d'être plus global, plus profond et plus durable et qui ne dépend pas que du plaisir.

— Je ne crois pas beaucoup au bonheur.

— Peut-être parce que tu n'as jamais été véritablement heureux ?

Hugo demeure pensif quelques instants.

— Sans doute. Et il faut quoi, selon vous, pour être heureux ?

— Du plaisir, certes, mais pas uniquement. Il faut que notre vie ait du sens. Qu'elle réponde aux besoins profonds de notre être.

— Ah oui ? Et lesquels, selon vous ?

— À toi de me le dire ! Nous n'avons pas tous la même nature ni les mêmes aspirations.

— Vous voulez dire que le bonheur dépend de la sensibilité ou de la personnalité de chacun ?

— Il y a des critères universels, valables pour tous, comme l'amour, une bonne santé ou le fait d'aimer son travail. Mais après, chacun s'épanouira dans tel métier ou dans tel autre, dans tel type de relation amoureuse ou dans tel autre, dans tel ou tel mode de vie qui correspond en effet à sa sensibilité, à son tempérament, à ses aspirations profondes.

— Pour être heureux, il faut donc déjà apprendre à bien se connaître ?

— Exactement ! Comme le disait notre bon vieux Socrate, « Connais-toi toi-même ». C'est la base de tout !

— Mais concrètement, comment se connaître ? Comment savoir ce qui nous convient ? Ce pour quoi on est fait ? Ce n'est pas si simple que ça…

— Tu as raison. Mais il y a un critère infaillible !

— Ah oui ? Lequel ?

— La joie !

— La joie ?

— Oui. Qu'est-ce qui te met dans la joie ? Je ne parle pas simplement du plaisir, comme celui que te procurent tes jeux, ou du bien-être. Qu'est-ce qui te plonge dans cette émotion plus puissante et profonde qu'est la joie ?

— Je sais pas…

— Prends le temps de t'interroger sur ce qui te fait du bien, ce qui te met dans la joie, et tu vas finir par découvrir ce pour quoi tu es fait.

— Mais pour en revenir au bonheur, vous ne pensez pas que certains sont plus aptes au bonheur que d'autres ? Regardez : vous, vous êtes une optimiste et moi un pessimiste. Ça dépend quand même beaucoup de la génétique, le bonheur, non ?

— Certainement. Mais pas uniquement. J'ai lu une étude scientifique américaine qui disait que le bonheur dépend pour moitié de notre patrimoine génétique, pour dix pour cent du milieu géographique et culturel où l'on est né et pour quarante pour cent du regard qu'on porte sur le monde et de nos choix de vie.

— Intéressant…

— Ce que je préfère retenir, parce que la vie me l'a montré, c'est que pour une bonne part, le bonheur dépend de nous. Je te l'ai dit tout à l'heure, j'ai traversé de dures épreuves, mais je ne me suis jamais effondrée, parce que je voulais toujours croire que je pouvais m'en sortir et avancer, là où d'autres auraient été écrasés.

— Oui mais, Blanche, ça c'est votre tempérament optimiste ! Dites merci à vos gènes.

Blanche éclate de rire. Hugo jette un coup d'œil

vers la chaise de l'autre côté du lit, où sont posées ses affaires personnelles. Il fouille ses poches et lâche d'un ton dépité :

— Putain, les enfoirés, ils m'ont piqué mon portable !

13

Pologne, janvier 1945

Les images du passé continuent à défiler, et elles éveillent en moi de plus en plus de souvenirs douloureux. La mort de ma grand-mère, la seule que j'aie vraiment connue. Ces moments où mes cousins ont disparu et où nous avons dû nous cacher pour échapper à la rafle. Cet instant où maman, mon frère et moi avons été arrêtés. Ce voyage interminable dans les trains et puis ce camp en Pologne, entouré de barbelés. Ces travaux forcés, ces humiliations, ce froid, cette boue, cette faim, cette odeur horrible de chair brûlée, ce sentiment d'avoir été privée de mon humanité. La mort de mon petit frère, emporté par une pneumonie foudroyante. Cette évacuation soudaine du camp et cette marche forcée dans la neige, jusqu'à ce que je tombe et que ma tête heurte une pierre. Les soldats me croient morte et ne prennent pas la peine de m'achever. Ils battent ma mère en larmes, qui refuse de me laisser. Je vois toute cette horreur, j'en ressens de la peine, mais je suis malgré tout en paix. Comment est-ce possible ?

France, juillet 2019

À cet instant, une infirmière accompagnée d'un médecin et d'un jeune interne pénètrent dans la chambre.

— Alors, comment vous sentez-vous ? lance le médecin à l'intention d'Hugo, pendant que l'infirmière prend sa tension.

— Ça va, répond Hugo de manière laconique.

— Vous avez été à la selle ?

— Pas encore.

— De l'appétit ? poursuit le médecin en auscultant la langue du jeune homme.

— Non, pas du tout.

— La tension est encore un peu basse, mais rien de grave, reprend le médecin après avoir jeté un œil au tensiomètre.

Il teste encore Hugo au stéthoscope, lui prend le pouls et conclut avec un large sourire :

— Tout va bien au niveau physique. Vous aurez demain matin la visite du médecin psychiatre.

— Pour quoi faire ? répond Hugo abruptement.

Le médecin semble un peu déstabilisé, puis finit par lâcher de manière aussi abrupte :

— C'est la procédure après une tentative de suicide.

— C'est n'importe quoi ! s'insurge Hugo. Et je suis là encore pour combien de temps ?

— On ne vous laissera sortir qu'après le rapport du psychiatre. J'espère que vous n'avez plus les idées aussi noires.

Hugo détourne la tête et reste mutique. Le médecin se retourne vers Blanche.

— C'est le Dr Guérin qui vous suit, n'est-ce pas ?

— En effet. Il est passé ce matin. Tout va bien, je m'éteins doucement.

Le médecin esquisse un sourire mécanique et s'apprête à quitter la chambre en compagnie de l'infirmière et de l'interne. Puis il se ravise et se tourne vers Hugo.

— Au fait, votre père, le professeur Gendron, a demandé à venir vous voir dans la soirée. Normalement, pour ce type d'accident, les visites ne sont autorisées qu'après l'accord du médecin psychiatre. Mais compte tenu du statut de votre père, on peut faire une exception. Vous n'y voyez pas d'inconvénient ?

— Je préférerais que vous respectiez la procédure, docteur.

— Vous êtes sûr ?

— Certain. Dites-lui que je suis trop fatigué ce soir.

— Comme vous voulez.

— Au fait, pouvez-vous me rendre mon téléphone portable ?

— Après le passage du psychiatre également. Essayez de vous en passer encore une soirée, jeune homme.

Une fois le personnel médical parti, Blanche s'adresse à Hugo :

— Je comprends pour ton père. Mais ce ne serait pas plus mal que tu lui dises la vérité, non ?

— Que j'ai tenté de me suicider à cause de mon échec au concours ?

— C'est ce que tu m'as dit.

— C'est vrai, mais il n'y a pas que ça. C'était le truc de trop, mais au fond j'aime pas la vie. Contrairement à vous, je crois qu'elle n'a aucun sens. On fait un petit tour de piste et on s'en va. Certains restent plus longtemps. Certains sont applaudis, d'autres hués. La plupart vivent dans l'indifférence générale. On travaille comme des malades pour gagner de l'argent, on fonde une famille, on achète une maison, comme si on était immortel ! Et au final on perd tout : travail, amis, famille, maison. Tout doit disparaître ! Alors à quoi bon faire tant d'efforts ? Tout ça n'a aucun sens. Autant en finir au plus vite et retourner au néant, d'où on a surgi par un malheureux hasard.

Blanche, émue, écoute Hugo, la tête légèrement penchée vers lui. Elle comprend parfaitement ce que le jeune homme éprouve. Après un silence, elle lui répond d'une voix très douce, presque tremblante :

— Je sais ce que tu ressens, Hugo. Je n'ai pas toujours aimé la vie, ni pensé qu'elle avait du sens. Moi-même, lorsque j'avais dix-sept ans, j'ai traversé les pires épreuves de mon existence et je n'avais plus du tout envie de vivre. Je n'aspirais qu'à ne plus rien sentir, éprouver, penser. L'existence m'apparaissait cruelle et absurde. J'ai finalement survécu et c'est là, après ce drame, que j'ai commencé à vivre pleinement et que j'ai découvert que la vie est pleine de sens, de magie, de poésie, malgré tous les obstacles et les difficultés que nous rencontrons et qui parfois nous écrasent.

Hugo est troublé par les propos de Blanche. Il se sent mal à l'aise et n'ose lui demander ce qu'elle a vécu de si terrible et pourquoi cette épreuve a finalement transformé son regard sur la vie. Il préfère changer de sujet.

— Je me pose pas mal de questions sur ce que vous dites, Blanche, mais là je préférerais aller prendre un peu l'air. Ça fait des heures que je suis allongé et je me sens assez rétabli pour marcher.

— Tu as bien raison ! Ça te fera beaucoup de bien de faire un peu d'exercice !

Hugo se lève lentement de son lit, fait quelques étirements et se rend dans la salle de bains. Il enfile ses vêtements et sort de la chambre. Une infirmière lui explique qu'il n'a pas le droit de quitter le service et appelle le psychiatre. Comme il est déjà debout, le médecin lui propose de le suivre dans son cabinet de consultation.

Une heure plus tard, Hugo revient dans la chambre. Étonnée par sa mine sombre, Blanche l'interpelle :

— Eh bien, tu ne sembles pas si réjoui que ça par ta sortie !

— J'ai croisé le psy qui m'a fait subir le pire interrogatoire de ma vie.

— Comment cela ?

— Et pourquoi ci ? Et pourquoi ça ? Et si je bois ? Et si je me drogue ? Et si j'ai une petite amie ? Et si j'ai une tendance homosexuelle refoulée ? Est-ce que je me suis remis de la mort de ma mère ? Est-ce que j'ai des tendances dépressives depuis ? Quelles relations j'entretiens avec mon père et ma sœur ? Pourquoi j'ai voulu en finir en prenant des médocs ? Est-ce que j'ai l'intention de recommencer ? Etc., etc.

Blanche rit de bon cœur.

— Je comprends que ça ait pu t'agacer, mais il fait son boulot, après tout ! Moi, la seule question qui m'intéresse vraiment, c'est de savoir si tu as encore envie de mourir.

Hugo vient de finir d'enlever ses vêtements et se glisse en caleçon et tee-shirt dans son lit.

— Je lui ai dit que non pour qu'il me foute la paix et me laisse sortir de là, mais honnêtement j'en sais rien. Je n'aime pas plus la vie ce soir que ce matin. J'aurais préféré ne pas me rater.

Blanche est peinée par cette réponse et comprend que le mal-être d'Hugo est très profond. Elle reste silencieuse. Le jeune homme devine son malaise et reprend :

— Je vois que je vous heurte. Vous semblez tellement aimer la vie. Je vous connais à peine, mais je vous aime bien, Blanche, et quoi qu'il arrive, j'aurai été heureux de croiser votre chemin.

— C'est réciproque, Hugo. Le destin est étrange. Nos chemins se croisent au moment où je vais quitter cette terre alors que j'y suis si attachée, tandis que tu souhaites déjà partir alors que tu as si peu vécu et tant encore à apprendre, à découvrir !

— J'ai déjà appris une chose importante aujourd'hui, grâce à vous…

— Ah ? Laquelle ?

— C'est qu'on peut avoir traversé de grandes

épreuves et continuer à avoir envie de vivre. Demain, j'aimerais que vous me racontiez ce qui s'est passé, Blanche. Là, je suis crevé. Je vais avaler ce somnifère que le psy m'a donné et essayer de dormir.

— Au fait, il a accepté de te laisser sortir ?

Hugo pousse un grand soupir.

— Pas du tout, l'enfoiré ! Il me garde encore en observation et refuse de me rendre mon portable !

— Eh bien, tu vois, je dois être très égoïste, mais ça me fait plaisir de savoir qu'on va passer encore quelques jours ensemble !

— C'est aussi la seule chose qui me console, Blanche.

— Et on verra bien qui partira le premier !

Ils éclatent d'un rire complice avant qu'Hugo n'éteigne la lumière et ne s'enfouisse sous les draps. Blanche prend son livre, l'ouvre au hasard et, comme elle le fait chaque soir, savoure les quelques lignes de Victor Hugo qui s'offrent à ses yeux fatigués. Celles-ci sont dédiées à la mémoire de Léopoldine, sa fille tant aimée qui s'était noyée dans la Seine à l'âge de dix-neuf ans. Le poète ne s'en était jamais remis mais cet événement tragique lui aura sans doute inspiré ses plus beaux poèmes. Blanche est d'autant plus émue que ces vers lui font aussi penser à son fils Jean, qui venait souvent, enfant, la déranger dans son bureau et jouer avec ses papiers et ses livres.

Elle avait pris ce pli dans son âge enfantin
De venir dans ma chambre un peu chaque matin;
Je l'attendais ainsi qu'un rayon qu'on espère;
Elle entrait, et disait: Bonjour, mon petit père;
Prenait ma plume, ouvrait mes livres, s'asseyait
Sur mon lit, dérangeait mes papiers, et riait,
Puis soudain s'en allait comme un oiseau qui
    passe.
Alors, je reprenais, la tête un peu moins lasse,
Mon œuvre interrompue, et, tout en écrivant,
Parmi mes manuscrits je rencontrais souvent
Quelque arabesque folle et qu'elle avait tracée,
Et mainte page blanche entre ses mains froissée
Où, je ne sais comment, venaient mes plus doux
    vers.
Elle aimait Dieu, les fleurs, les astres, les prés
    verts,
Et c'était un esprit avant d'être une femme.
Son regard reflétait la clarté de son âme.
Elle me consultait sur tout à tous moments.
Oh! que de soirs d'hiver radieux et charmants
Passés à raisonner langue, histoire et grammaire,
Mes quatre enfants groupés sur mes genoux, leur
    mère
Tout près, quelques amis causant au coin du feu!
J'appelais cette vie être content de peu!
Et dire qu'elle est morte! Hélas! que Dieu
    m'assiste!

Je n'étais jamais gai quand je la sentais triste;
J'étais morne au milieu du bal le plus joyeux
Si j'avais, en partant, vu quelque ombre en ses yeux.

15

Pologne, janvier 1945

Je suis sereine, mais je ressens aussi un chagrin infini. Une peine inconsolable. Je voudrais mourir une seconde fois et ne plus rien ressentir… Soudain, tout semble s'arrêter selon mon vœu. Je ne vois plus rien, je n'entends plus rien. Cette fois, je vais mourir pour de bon. Je vais mourir de chagrin et la mémoire de cette vie sera à jamais effacée.

16

France, juillet 2019

La journée a commencé difficilement pour Hugo, puisqu'il a reçu de bonne heure la visite de son père. Afin de les laisser parler tranquillement, Blanche en a profité pour sortir en fauteuil roulant. Poussée par Claire, une aide-soignante d'origine martiniquaise, elle a pu s'aérer un peu dans le parc de l'hôpital. Même si elle se sent de plus en plus affaiblie, ses capacités intellectuelles, sensitives et émotionnelles restent intactes. Elle ne se nourrit plus, mais boit encore un peu. Elle sait qu'il ne lui reste plus que deux ou trois jours à vivre, et elle entend profiter de chacun de ses derniers instants.

Elle demande à l'aide-soignante de se rapprocher d'un massif de roses blanches. Elle parvient à attraper une tige et tend la fleur vers son visage. Elle ferme les yeux et hume lentement le parfum de la rose. Un immense sentiment de bien-être l'envahit.

— Quelle merveille ! murmure-t-elle, avant de replonger le nez dans les pétales de la fleur offerte.

— Vous aimez les roses, Madame Blanche ? lui demande Claire, qui aime prendre soin de la vieille femme.

— Oh oui ! J'en avais diverses variétés dans mon jardin. Mais aussi du lilas, du chèvrefeuille et du jasmin. J'aime tant leurs parfums !

— Ah oui, ça sent si bon ! Il y a du lilas dans le jardin de ma mère. Je fais comme vous quand j'arrive et qu'il est en pleine floraison, je mets mon nez dedans, avant même parfois d'embrasser ma maman !

— Peux-tu me conduire au pied de ce tilleul, là-bas ?

— Avec plaisir, Madame Blanche. Je ne savais pas que c'était un tilleul. Vous vous y connaissez en arbres, dites donc !

— Les plantes, les fleurs, les arbres, c'est une de mes grandes passions… avec les animaux !

— Ah, moi aussi, j'ai un chat. Il s'appelle Babou ! Un énorme matou qui ne fait que ronronner.

— Oh, quelle chance ! J'ai eu des animaux toute ma vie, mais ma dernière petite chatte s'est éteinte l'année dernière et, sachant que je n'en avais plus pour bien longtemps, je n'en ai pas adopté d'autre.

— Elle doit vous manquer.

— Oh là là ! Plus que tu ne peux l'imaginer.

On s'attache tant à nos animaux. Ils sont si affectueux, sensibles et intelligents. Quand je pense que certains les maltraitent.

— C'est terrible ! Mais pensez à tous les êtres humains qui sont aussi maltraités ! On en voit tant arriver ici, aux urgences. Des femmes et des enfants surtout. Ça me rend bien triste de voir qu'il y a tant de cruauté.

— Tu as raison, Claire. Comme disait le poète Lamartine, « on n'a pas deux cœurs : un pour les humains et un pour les animaux. On a du cœur ou on n'en a pas ». Et quand on a du cœur, on est touché par la souffrance de tous les êtres sensibles.

Parvenue au pied du tilleul, Blanche demande à Claire de coller le fauteuil contre le tronc de l'arbre, pour qu'elle puisse le toucher. Elle pose délicatement ses deux mains sur le tronc et ferme les yeux. Elle parle à l'arbre en pensée et le remercie pour la force et la sérénité qu'il lui infuse.

Après un long moment d'échange silencieux, Blanche demande à Claire de la raccompagner dans sa chambre. La vieille dame constate avec soulagement que le père d'Hugo est parti. Le jeune homme ne semble pas trop affecté par cette visite qu'il redoutait tant. Il accueille Blanche avec un large sourire :

— Ah ! Je me demandais si vous n'aviez pas fait une fugue !

— Grâce à Claire, j'ai fait un délicieux tour dans le parc. Mais c'est moi qui me suis inquiétée pour toi. Comment ça s'est passé avec ton papa ?

— Il m'a surpris. Il était beaucoup plus présent et attentif que d'habitude. En fait, quand je lui ai dit que j'avais pas eu la force de lui annoncer que j'avais encore échoué au concours, il a eu les larmes aux yeux et m'a demandé pardon.

— C'est beau ! J'en suis si émue.

— Oui, il m'a vraiment touché, mais j'ai pas su quoi dire. Alors on est restés un moment en silence, à se tenir la main. Puis il m'a dit que je pouvais faire les études qui me plaisaient, que ce qui lui importait c'est que je sois heureux. Et puis il est parti. Il repassera demain avec ma sœur.

— C'est formidable ! Même si c'est triste qu'il ait fallu que tu commettes un acte aussi violent pour qu'il comprenne.

— Je crois qu'il ne se rend même pas compte de la pression qu'il nous a toujours mise, à ma sœur et à moi, pour qu'on réussisse dans les études.

— Certainement, car il pensait agir pour votre bien. C'est tellement fréquent ! Tant de parents pensent que leurs enfants devraient faire ci ou ça pour être heureux, ou réussir leur vie, alors que s'ils étaient vraiment à l'écoute, ils découvriraient que leurs enfants ne sont pas comme eux, n'ont pas forcément les mêmes aspirations ou les mêmes talents qu'eux. Que ce qui les épanouirait, ce serait de suivre un tout autre chemin. C'est pour ça qu'on dit que « l'enfer est pavé de bonnes intentions » !

— Sans doute…

— Mais la question importante, maintenant que tu commences à te libérer du regard de ton père, c'est de savoir ce que *toi* tu veux faire de ta vie.

— Je vous l'ai dit, je n'en sais rien. À part mes potes, je kiffe pas grand-chose.

— Tu as une petite amie ?

— Pas spécialement.

— Ça veut dire quoi ?

— Personne de fixe. Il y a quelques filles avec qui j'ai des plans, mais rien d'important.

— Tu n'as jamais été amoureux ?

— Si, mais ça n'a pas duré très longtemps. J'ai vite été déçu.

— Déçu par les femmes ?

— Non, plutôt par l'amour. Disons que je me suis vite rendu compte que j'avais surtout du désir pour mes copines et que je tenais pas plus que ça à elles une fois qu'on était installés dans une relation plus durable.

— Parce que tu étais attiré par d'autres filles ?

— Oui, mais surtout parce que je préfère voir mes potes ou jouer à mes jeux que de passer du temps avec elles.

— Je m'aperçois que tu n'as pas encore vraiment été amoureux ! Ou du moins que tu n'as pas exploré les couches plus profondes du sentiment amoureux que celle du premier choc, qui est lié au désir sexuel. Quand un jour tu auras envie d'approfondir une relation, tu découvriras de nouvelles joies liées à l'amour que tu portes à une personne et à celui que cette personne te porte.

Hugo éclate d'un rire nerveux.

— Vous me faites rigoler ! Au fond, lorsque j'entends parler de ça, je n'y crois pas du tout.

— Tu ne crois pas en l'amour ?

— Je crois surtout que quand il y a une attirance entre un homme et une femme, ou bien entre deux personnes du même sexe, peu importe, tout se joue dans la chimie du cerveau. On est en état d'effervescence amoureuse parce que notre cerveau sécrète des doses massives de dopamine. À côté de ça, il y a un effondrement de la sérotonine, l'hormone – entre autres – de la lucidité, qui fait qu'on est complètement aveuglé. Et puis après, quand on entre dans une relation plus tendre et sécurisante, quand on se met en couple par exemple, notre cerveau sécrète de l'ocytocine, la substance de l'attachement. Et tout ça dure un certain temps. On appelle ça de l'amour, mais c'est surtout de l'attraction biologique, chimique.

— Là, tu m'en bouches un coin ! Je n'y connais pas grand-chose, mais je pense que l'amour, c'est quand même un peu plus complexe que de simples interactions chimiques.

— Ah oui, c'est quoi alors ?

— Quand on aime, on voit la vie d'une autre couleur. Tout devient plus joyeux.

— C'est vrai, mais c'est lié à une invasion de dopamine !

— Peut-être, mais c'est lié aussi à deux âmes qui se rencontrent et qui vibrent à l'unisson. Ce qui m'a donné le plus de joie lorsque j'ai rencontré mon mari et pendant les quarante-trois ans où nous avons vécu ensemble, ce n'est pas tant le désir charnel que de vivre en sa présence. J'aimais son être, y compris ses défauts et ses vulnérabilités. C'est même ça qui m'attendrissait le plus ! Rien n'était simple ni parfait. Nous avons traversé des épreuves, et surmonté des obstacles. Mais il y avait une formidable complicité entre nous et rien ne nous rendait plus heureux que de voir l'autre heureux.

— Vous parlez de lui au passé… il est décédé ?

— Oui, il y a une dizaine d'années.

— Et vous n'avez pas eu d'enfants ?

— Si. Un fils, Jean. Il est mort écrasé par un chauffard ivre.

— Je suis désolé, tellement désolé pour vous, marmonne Hugo qui est heurté par la nouvelle.

Blanche lui tend la main. Il s'en saisit. Puis elle reprend en souriant :

— C'est peut-être pour ça que je me suis tout de suite attachée à toi : il avait ton âge quand il est parti. Je ne te juge pas. Tu avais certainement de bonnes raisons de commettre cet acte. Mais je pense à tes proches, à ton papa, à ta sœur, à tes amis. J'imagine leur douleur si tu étais décédé.

— Quand j'ai pris ma décision, je pensais à rien d'autre qu'à en finir une fois pour toutes. En plus, j'étais épuisé nerveusement par toutes ces révisions avant le concours. J'ai sans doute manqué de lucidité. C'est quand j'ai revu mon père, tout à l'heure, que j'ai réalisé à quel point il était atteint. Il aurait porté ce poids tout le reste de son existence.

— On ne se remet jamais de la perte d'un enfant. Au début, on est anéanti. Rien ne peut atténuer notre tristesse ni notre colère contre la vie. Et puis, avec le temps, on apprend à vivre avec. On se souvient des moments merveilleux qu'on a passés ensemble et on réalise que notre enfant continue de vivre dans notre mémoire, dans notre cœur. Mais sa présence, son rire, ses larmes nous manquent toujours. Et tu vois, je crois que cet amour-là n'est pas non plus seulement chimique. Même s'il y a certainement un lien biologique naturel, il y a aussi un attachement à un être unique qu'on aime, qu'on a aimé et qu'on aimera pour l'éternité.

— J'ai jamais ressenti ce type d'amour, que ce soit dans ma famille, avec mes copines ou mes potes. Je suis pas certain d'être capable de m'attacher à ce point. Je suis peut-être handicapé du cœur, ou c'est une question de génération. Vous savez, nous les jeunes, on ne croit plus beaucoup au grand amour, comme vous. On ne s'attache pas trop, peut-être pour ne pas souffrir, et rester libre.

— Moi aussi, je suis très attachée à ma liberté ! Mais je ne l'opposerais pas à l'attachement à ceux qu'on aime. Pour moi, être libre, ce n'est pas faire tout ce dont on a envie, à tout moment, sans aucune contrainte.

— C'est quoi alors ?

— C'est ne pas être esclave de ses pulsions, de ses désirs, de ses émotions. La vraie privation de liberté, c'est agir en automate, en recherchant toujours le plaisir immédiat et en refusant la frustration, alors qu'il y a des obstacles, des contraintes, des engagements qui nous font grandir et qui, si on les accepte, nous permettent d'accéder à un bonheur ou à des joies beaucoup plus profonds et durables.

— Vous dites ça, mais si je regarde les adultes autour de moi, les amis de mes parents ou de mes copains, je vois surtout des drames, des gens qui se déchirent lors des divorces, de la haine même. Je pense que l'attachement crée surtout de la souffrance.

— Tu as raison, mais ces gens dont tu parles vivent l'attachement comme une possession de l'autre. L'autre leur appartient – « mon mari », « ma femme », « mon enfant » – et ils ne supportent pas qu'il puisse évoluer différemment, ou les quitter. C'est parce qu'ils ont eux-mêmes des manques, des blessures, des peurs qu'ils s'attachent ainsi à leurs proches et deviennent jaloux et possessifs. Nos enfants ne sont pas *nos* enfants : ce sont des êtres uniques que la vie nous a confiés. Ils ont leur propre intelligence, et ce que nous pouvons faire de mieux, c'est les aider à prendre leur envol, à devenir autonomes. Et pour cela, il n'y a qu'un moyen : les aimer de manière inconditionnelle. De même, nos conjoints ne nous appartiennent pas. La vie a permis que nous croisions leur route pour que nous nous aidions mutuellement à grandir et à devenir pleinement nous-mêmes. Aimer, ce n'est pas accaparer l'autre, encore moins le rendre dépendant de soi. Au contraire, c'est vouloir son autonomie. La jalousie, la possessivité, la peur de perdre l'autre sont des passions qui parasitent, voire détruisent la relation de couple. L'amour véritable ne retient pas, il libère. Il n'étouffe pas l'autre, il lui apprend à mieux respirer. Donc, tu vois, je ne parle pas de ce type d'attachement qui rend tout aussi esclave que l'absence totale d'attachement par peur de souffrir. Lorsqu'on aime, on s'attache avec son cœur à celui ou celle qu'on aime. Mais notre esprit doit rester lucide sur le fait que l'autre ne nous appartient pas et sur les motivations, souvent inconscientes, qui nous attachent à lui. C'est par cet effort de discernement, de prise de conscience que nous pouvons nous détacher, au sens spirituel du terme, pour ne pas accaparer l'autre, en faire notre chose.

— Vous voulez dire qu'on peut à la fois être attaché et détaché ?

— Oui, mais ce n'est pas au même niveau de notre être que cela se situe. On s'attache avec le cœur et on peut rester détaché par un travail de l'esprit qui prend conscience que l'autre ne nous appartient pas. Et c'est aussi ce détachement de l'esprit qui permet de mieux surmonter les séparations et les disparitions.

— Oh là là, c'est bien compliqué tout ça !

— Non, c'est extrêmement simple une fois qu'on l'a compris et expérimenté !

Ils sont interrompus par Claire qui pénètre dans la chambre pour apporter le repas d'Hugo. Celui-ci mange avec appétit, ce qui réjouit Blanche qui se dit que son goût pour la vie est peut-être timidement en train de revenir.

17

Pologne, janvier 1945

Alors que ma tristesse est à son comble, je suis à nouveau aspirée dans le tunnel. Cette fois, j'ai l'impression de monter. La lumière revient. J'entends une musique avec des chœurs d'enfants. Je poursuis ma route dans le tunnel, mais plus lentement. La lumière est de plus en plus intense et les chants d'une beauté ineffable. Au fur et à mesure que je progresse, j'aperçois des silhouettes qui me regardent en souriant. Il me semble reconnaître celle de ma grand-mère. Et lui, cet homme assez jeune qui me regarde joyeusement, ne serait-ce pas mon père ? Il est mort quand j'avais cinq ans et ses traits se sont effacés de ma mémoire, mais il ressemble au portrait que j'ai vu de lui. Et là, ce visage qui me sourit, n'est-ce pas celui de Nathan, mon petit frère ? Je suis bouleversée, je voudrais m'arrêter pour lui parler, mais une force que je ne peux maîtriser continue à me faire avancer. La musique se fait plus discrète et la lumière plus douce. J'entends le bruissement d'une brise légère et je sens des parfums délicats. Tout est si harmonieux ici. Mais où suis-je ?

18

France, juillet 2019

Après son repas, Hugo pique du nez et s'endort. Lorsqu'il revient à lui, Blanche a les yeux fermés. Elle ne dort pas, mais dégage une impression de profonde sérénité. Hugo se lève pour se rendre à la salle de bains. Lorsqu'il regagne son lit, Blanche a les yeux ouverts. Elle le suit du regard en souriant. C'est Hugo qui reprend le fil de leur conversation :

— Parlez-moi un peu de votre mari.

— Oh, mon Dieu, Jules ! s'exclame Blanche. Nous avons eu beaucoup de chance de nous être rencontrés. Il avait une dizaine d'années de plus que moi. Nous chantions dans la même chorale.

— Ah super ! Et il faisait quoi comme métier ?

— Il était menuisier-charpentier. Il était plus manuel que moi, et j'étais plus intellectuelle que lui. Nous avions d'ailleurs pas mal de différences de caractère, mais ce n'était pas un problème.

Nous nous sommes tant aimés, mais sans jamais vouloir imposer quoi que ce soit à l'autre. Nous avions nos jardins secrets, mais aussi chacun nos propres amis, nos goûts, nos passions. Nous aimions chacun nos vies, tout en partageant l'essentiel de notre temps. Cela n'a rien à voir avec la passion amoureuse, ou l'amour-fusion, qui est, je crois, surtout fondé sur la peur d'être seul et la recherche d'un équilibre que l'on n'a pas en soi à travers la relation à l'autre. Mais comme tu le disais, tout cela reste très fragile et lorsque ça ne fonctionne plus, les couples se déchirent. Quand on aime vraiment quelqu'un, on l'aime pour la vie et on ne pourra jamais le haïr, même si on se sépare parce que nos chemins bifurquent un jour.

— Je veux bien vous croire, Blanche, même si j'en ai pas l'expérience. Mais ça ressemble plutôt à de l'amitié, non ?

— Absolument. Mais l'amitié est une des plus grandes choses qui soient ! Et pour moi, toute relation de couple solide et durable, c'est d'abord une vraie amitié entre deux êtres qui s'aiment, parce qu'ils s'estiment et ont une vraie complicité. C'est ce qu'affirmait déjà Aristote : la relation de couple est d'abord fondée sur une amitié. Le désir et la sexualité sont aussi présents, mais ce n'est pas suffisant pour que la relation dure et soit harmonieuse. Quand on dit que « l'amour dure trois ans », c'est faux ! C'est la passion amoureuse qui dure au maximum trois ans.

— Oui, et c'est surtout lié aux influences biologiques et chimiques que j'évoquais.

— Tout à fait ! Et contrairement à la passion, l'amour nous permet de rester lucides et libres. Or beaucoup se complaisent dans l'illusion et l'aliénation de la passion amoureuse. Il existe d'ailleurs, depuis le mouvement romantique, au XIXe siècle, toute une littérature qui vante les affres de la passion. Il y a des gens qui adorent ça, et pourquoi pas, après tout ! Mais, pour moi, c'est tout sauf l'amour dont je te parle, celui qui rend joyeux, confiant, serein, sans supprimer la force du désir. Cet amour-là peut évoluer, se métamorphoser, prendre des visages divers, mais jamais disparaître. S'il est fondé sur la vérité, il est éternel. Victor Hugo a écrit des lettres magnifiques à Juliette Drouet, le grand amour de sa vie, et il y en a une que je connais par cœur qui exprime cela très bien.

Hugo sourit.

— Je suis tout ouïe, Blanche !

La vieille femme ferme les yeux et commence à réciter la lettre. Elle a l'air si habitée qu'Hugo se dit qu'elle aurait sans doute pu l'écrire, mot pour mot, à l'intention de son mari.

Je ne veux pas que tu te couches sans ce mot d'amour. Je veux y mettre mon âme, et que tu l'y sentes. Je veux que toute cette nuit mon cœur te semble appuyé sur le tien. Je demande à vivre, à mourir, et à revivre avec toi dans la transfiguration et dans la lumière. Je supplie nos anges de le demander et je prie Dieu de l'accorder. Tu es ma vie, et tu seras mon éternité. Je t'aime. Je te le dis profondément. Dors avec la certitude d'être aimée. Tu es déjà mon ciel ici-bas, tu seras encore plus mon ciel là-haut. Je baise ta beauté, j'adore ton cœur. Sois bénie.

Après un bref silence, Hugo s'exclame :

— Il l'aimait grave !

La vieille femme sourit.

— Je te souhaite de tout cœur de vivre un jour une vraie relation amoureuse. C'est à la fois un attachement profond, éternel, mais qui rend libre.

Blanche reste un long moment silencieuse. Tant de souvenirs et de sentiments remontent à sa mémoire. Puis elle poursuit :

— Il y a une parole de la Bible qui dit que «l'amour est plus fort que la mort». C'est ça que ça veut dire. Quand on a aimé vraiment un être, pour ce qu'il est et non seulement pour ce qu'il nous apporte, nos cœurs sont liés à jamais.

— Vous avez lu la Bible ? demande Hugo.

— Oui, mais tardivement. Enfant, j'ai été élevée dans la religion juive, mais mes parents n'étaient pas vraiment croyants et peu pratiquants. Je l'ai lue vers vingt ans, lors de mes études de philo, pour essayer de comprendre mes racines. Et puis aussi parce que c'est un texte qui a tellement compté dans l'histoire de notre civilisation. Et toi ?

Hugo rit de bon cœur.

— Je lis que des mangas et des livres scientifiques ! Mes parents ont été élevés dans la religion catholique, mais ils nous ont pas fait baptiser et on n'a reçu aucune éducation religieuse.

— Tu t'intéresses un peu aux religions ?

— Pas du tout. J'y connais rien, et ce que je vois me donne pas envie de m'y intéresser.

— Que vois-tu ?

— Le fanatisme, l'intolérance, l'hypocrisie, la recherche du pouvoir, le manque d'intelligence critique, la soumission des femmes…

— Tout cela est tellement vrai ! Et en même temps, moi qui ne suis pas du tout religieuse, j'ai vu aussi quelque chose de très différent.

— Ah oui ?

— J'ai rencontré des gens très croyants qui, au nom de leur foi, soutiennent des immigrés, s'occupent de personnes handicapées, donnent de leur cœur et de leur temps à ceux qui sont dans le besoin. J'ai rencontré beaucoup de croyants tolérants et accueillants, qui pratiquent la justice et la charité.

— Ça doit bien exister, mais c'est pas ce qui domine.

— Ce n'est pas ce qui domine dans les nouvelles que tu regardes sur Internet, on en a déjà parlé ! Un proverbe chinois dit qu'« un arbre qui tombe fait plus de bruit qu'une forêt qui pousse ». Alors oui, si on réduit les religions aux terroristes islamistes ou aux prêtres pédophiles qui font la une de l'actualité, on ne peut en effet en avoir qu'une image désastreuse.

— Donc, vous croyez que les religions sont bonnes et que ce sont certains hommes qui les défigurent ?

— Je ne dis pas ça non plus. Je ne pense pas que les religions soient bonnes ou mauvaises en soi. Je pense qu'il y a des humains qui vont chercher dans les religions de quoi nourrir leur bonté ou leur peur, leur amour ou leur haine. Au fond, les textes religieux reflètent les contradictions de l'âme humaine. Il y a dans la Bible et le Coran des passages qui vantent la justice, l'amour, le partage, l'humilité, le détachement, l'égalité de tous. Et il y a aussi des passages qui incitent au meurtre, au racisme, à la domination des femmes. Ces textes traduisent déjà les convictions contradictoires des humains qui les ont écrits dans un lointain passé et nous n'avons cessé depuis de les utiliser comme ça nous arrange.

— Le problème, c'est que beaucoup de croyants pensent que ces textes sont à prendre à la lettre, voire qu'ils ont été dictés directement par Dieu aux prophètes.

— Tout à fait ! Le fondamentalisme est la source de tous les fanatismes.

— Mais peut-on être croyant sans penser que ces textes viennent directement de Dieu ?

— Bien entendu ! Je connais des croyants et des pratiquants de diverses religions qui croient que ces textes sont inspirés par Dieu, mais qui savent, parce qu'ils les ont étudiés avec un esprit rationnel, qu'ils sont aussi le produit d'une culture donnée, avec ses enjeux politiques et sociaux.

— D'où la nécessité d'interpréter les textes, ce qui conduit finalement à les relativiser ?

— En effet ! Ce que refusent les croyants fondamentalistes, par peur de s'égarer au nom de la raison. Le judaïsme, le christianisme et l'islam sont traversés depuis leurs origines par ces débats sur le lien entre foi et raison.

— Mais vous, vous croyez à quoi ?

— Je suis avant tout philosophe et je pense que seule la raison est universelle. Les croyances et les religions sont toujours liées aux cultures qui les ont produites, mais aussi aux affects, aux désirs des individus et des groupes humains qui les partagent. Je n'y adhère pas, mais je constate que certains de ces désirs et de ces aspirations rejoignent les valeurs humanistes auxquelles je souscris, comme la justice, la tolérance ou le respect d'autrui, tandis que d'autres en sont aux antipodes. En fait, la seule religion à laquelle je crois vraiment, la seule spiritualité universelle, c'est celle de l'amour. Seul l'amour me semble digne de foi. Et pour cela, peu importe qu'on soit croyant ou non, religieux ou non, pratiquant ou non. La vraie distinction pour moi entre les humains, ce n'est pas la religion, la culture, la langue ou la couleur de la peau. C'est : est-ce qu'on respecte l'autre ou pas ? Est-ce qu'on partage ses biens avec ceux qui sont dans le besoin ? Est-ce qu'on est prêt à risquer sa vie pour lutter contre l'injustice ? Est-ce qu'on est touché par le malheur d'autrui ? Est-ce qu'on désire consoler ceux qui n'en peuvent plus ?

19

Pologne, janvier 1945

Je vois apparaître une silhouette blanche à forme humaine, mais je sens qu'il ne s'agit pas d'un être humain. Cet être progresse vers moi. Au fur et à mesure qu'il s'approche, je ressens un amour puissant réchauffer mon cœur. Ma peine infinie est comme brûlée par cet amour infini. Qui est donc cet être de lumière qui irradie un amour inconditionnel ? Il doit entendre ma question, car j'entends distinctement en moi cette réponse : « Je suis l'ange de la consolation. »

20

France, juillet 2019

Hugo est touché par les paroles de Blanche. Il les médite un long moment, puis déclare d'une voix douce, empreinte de gravité :

— Je suis vraiment d'accord avec vous. On a tous en nous cette aspiration à l'amour, au partage, à la justice, et c'est ce qui me semble le meilleur. Mais on a aussi l'inverse. On est égoïste, violent, on aime posséder et dominer les autres. Moi aussi je ressens ces contradictions. Comment faire pour que l'amour et la justice l'emportent sur la violence et la soif de domination ?

— Il y a un beau conte amérindien qui répond à ta question. Veux-tu que je te le raconte ?

— Bien sûr !

— C'est l'histoire d'un vieil homme très âgé qui dit à son petit-fils : « Mon enfant, il y a deux loups en toi. Un loup blanc qui fait le bien, qui aide les autres, qui est juste. Et un loup noir qui fait le mal, qui est égoïste et méchant. Les deux mènent un combat à mort au sein de ton cœur. Sais-tu lequel va gagner? — Non, grand-père», répond l'enfant. Et le vieil homme lui dit: «Celui que tu nourris!»

— Waououuh! J'adore l'image.

— Quand tu commets des actes négatifs, injustes, égoïstes, tu nourris le loup noir et il prend plus de force. À l'inverse, quand tu commets des actions positives, justes, généreuses, tu renforces le loup blanc. Il y a des forces de bonté enfouies dans le cœur de tout être humain. Il s'agit de les libérer et de les cultiver. Chacun aspire à la justice, il s'agit de la pratiquer. Tu joues d'un instrument de musique?

— Oui, du piano, un peu…

— Eh bien, tu t'es rendu compte que tu ne pouvais progresser que si tu jouais régulièrement, non?

— C'est sûr! Tous les jours au moins une demi-heure, idéalement une heure.

— Eh bien, c'est pareil pour tout dans la vie. Tu deviens un bon musicien en jouant le plus souvent possible. Tu deviens un bon maçon en construisant des maisons. Tu deviens un grand sportif en t'entraînant. Et tu deviens un bon être humain en posant le plus souvent possible des actes de bonté, de justice, de partage, de pardon, de courage, de confiance, de bienveillance, etc. C'est ce que les philosophes grecs appellent la pratique des vertus. À l'inverse, tu deviens vicieux à force de poser des actes négatifs, qui te font régresser sur le plan humain. La vertu et le vice se cultivent, c'est aussi simple que cela !

— Encore faut-il le savoir et en être conscient.

— C'est vrai qu'on ne nous apprend pas cela à l'école et c'est bien dommage ! Ce n'est pas à seize ou dix-sept ans qu'il faudrait commencer la philosophie, mais à six ou sept ans !

— En effet !

Hugo reste pensif quelques instants, puis reprend :

— Vous parlez des actes. J'ai aussi entendu dire que nos pensées étaient très importantes et pouvaient influer sur nos vies. Vous êtes d'accord avec ça ?

— C'est évident ! La pensée est une énergie très puissante. Elle a forcément un impact, même si elle n'est pas verbalisée, ou mise en action. Ça touche aussi aux croyances. Quelqu'un qui ne s'aime pas, qui pense qu'il ne vaut rien renverra, sans même s'en rendre compte, une image négative de lui-même aux autres. Il risque d'avoir plein de déceptions dans sa vie relationnelle, ce qui ne fera que confirmer sa croyance. À l'inverse, une personne qui a une bonne estime d'elle-même va dégager quelque chose de spécial qui attirera les autres. Et c'est valable pour tout !

Si tu émets des pensées négatives avant un entretien d'embauche, il y a peu de chances que tu sois pris. Inversement, si tu as confiance, ça se passera beaucoup mieux.

— Comme je suis pessimiste, j'ai toujours été rongé par la peur d'échouer. Vous pensez que ça a pu jouer dans mes échecs au concours de médecine ?

— Tu le sais très bien toi-même ! Regarde les grands sportifs : avant les compétitions importantes, la plupart font des exercices de visualisation où ils se voient réussir, et ça les aide beaucoup à progresser et à gagner. Si toi, tu te vois déjà échouer, tu augmentes considérablement le risque d'échouer. Mais ce qui est plus compliqué, c'est que, comme Freud l'a très bien démontré, nous avons aussi des croyances et des pensées inconscientes qui influencent notre vie sans que nous le sachions.

— C'est-à-dire ?

— Une personne, par exemple, peut ne pas avoir conscience qu'elle veut échouer à un examen parce qu'au fond elle a envie de faire autre chose. C'est peut-être ce qui t'est arrivé en faisant médecine avant tout pour faire plaisir à ton père.

— C'est pas impossible. Mais si c'est inconscient, comment le savoir ?

— C'est pour cela que Freud a inventé la psychanalyse ! Le but de l'analyse est de rendre conscient ce qui est inconscient, afin de gagner en lucidité et en liberté.

— Vous en avez fait une ?

— Pendant trois ans.

— Pourquoi ?

— Je n'arrivais pas à avoir d'enfants avec mon mari. Pourtant, il n'y avait aucun problème fonctionnel ou biologique. Alors que je commençais à désespérer, un médecin m'a dit que c'était peut-être dû à un blocage psychologique et m'a conseillé de consulter.

— Et ça a marché ?

— Après quelque temps, oui, en effet. J'ai compris la cause inconsciente qui m'empêchait d'accéder à la maternité. Et une fois que je l'ai conscientisée, cela a libéré mon corps et je suis tombée enceinte. Mais j'ai continué ma thérapie pendant encore quelque temps, car cela m'a profondément enrichie et m'a appris à me connaître. Puis j'ai bifurqué vers une analyse jungienne, car j'avais besoin de poursuivre ce chemin intérieur avec quelqu'un de plus ouvert sur le plan spirituel, qui entrait davantage en résonance avec ma compréhension de la vie et du monde.

— C'est quoi la différence entre Freud et Jung ?

— Jung était le disciple le plus génial de Freud. Mais il s'est séparé de son maître à cause de la question de la libido, le désir sexuel. Freud était convaincu que la libido est l'énergie la plus puissante qui influence tous nos choix, y compris ceux de l'esprit. Jung pensait au contraire que l'être humain est aussi mû par un besoin de sens et de spiritualité, tout aussi essentiel que la libido, et qu'on ne peut pas tout ramener à elle. Pour résumer, on pourrait dire que Freud a une vision purement matérialiste de l'homme et du monde, quand Jung a une vision plus élargie, qui laisse une place au sacré, au mystère, à la vie spirituelle.

— Bref, Freud c'est moi et Jung c'est vous !

Hugo et Blanche échangent un sourire complice. Puis Blanche reprend sur un ton plus sérieux :

— Jung a aussi inventé plusieurs concepts essentiels comme l'inconscient collectif, l'*animus* et l'*anima*, les archétypes ou la synchronicité.

— La quoi ? demande Hugo en plissant les yeux. Blanche éclate de rire.

— Quel mot barbare, hein ! Ça veut dire simplement que deux événements ne sont pas rattachés entre eux par un lien de causalité, mais par le sens.

— C'est encore plus obscur !

— Je vais te donner un exemple concret. Imagine que tu penses à un ami dont tu n'as pas eu de nouvelles depuis longtemps. Et quelques instants après, le téléphone sonne, et c'est lui qui est au bout du fil. Les deux événements ne sont pas reliés par un lien causal, mais la coïncidence est troublante. Soit tu l'interprètes comme un pur hasard, ce que ferait Freud. Soit tu penses que la conjonction de ces deux événements a du sens, qu'elle n'est pas fortuite, et c'est ce que Jung appelle une synchronicité.

— Sauf qu'il n'y a pas d'explication scientifique à cela.

— Du moins pas en l'état actuel de nos connaissances scientifiques. Car je pense que beaucoup de phénomènes mystérieux, comme la voyance, la médiumnité, les synchronicités, la télépathie, etc., trouveront un jour une explication rationnelle. Mais il faudra que la science évolue, qu'elle ne reste pas enfermée dans un dogme matérialiste qui limite ses possibilités de compréhension du monde et de l'esprit humain.

— Contrairement à la religion, la science n'a aucun dogme, Blanche ! Elle applique une méthode rigoureuse qui permet de connaître le réel avec certitude, avec des preuves reproductibles.

— C'est vrai, mais il existe aussi dans la communauté scientifique un état d'esprit largement répandu qui part du postulat que tout est matériel, y compris l'esprit. Du coup, on étudie l'esprit humain comme s'il ne s'agissait que de connexions neuronales. Bref, on réduit l'esprit et la conscience au cerveau. Or je suis convaincue que s'il existe, en effet, un ancrage de notre esprit et de notre conscience dans notre corps à travers le cerveau, ceux-ci peuvent exister en dehors de cette inscription corporelle.

— C'est une pure croyance. Rien ne peut le prouver. Qu'est-ce qui vous fait croire ça ?

— Tout simplement parce que j'ai fait, comme des millions de personnes, une expérience dans laquelle ma conscience a quitté mon corps. Donc, pour moi, ce n'est pas une croyance, mais le fruit d'une expérience qui a bouleversé ma vie et ma vision du monde.

21

Pologne, janvier 1945

Je n'ai jamais ressenti un tel amour. Mon être est totalement dilaté. Je ressens un sentiment d'unité, d'évidence, de simplicité, de joie, de paix profonde. Le temps est aboli. Il n'y a que cet instant et cette présence d'amour absolu. Aucun mot ne peut décrire cet état. Je ne me sens plus séparée de tout ce qui existe. Je suis une partie de ce Tout, comme une goutte d'eau de l'océan. Serait-ce cela l'éternité ?

22

France, juillet 2019

Les propos de Blanche troublent Hugo. Il ressent à la fois un certain malaise, lié à son scepticisme, et une intense curiosité. Il s'apprête à demander à la vieille femme ce qui lui est arrivé, lorsque le médecin qui la suit pénètre dans la chambre.

— Bonjour, chère Blanche.

— Bonjour, docteur. Quel plaisir de vous voir !

— Plaisir partagé ! Comment vous sentez-vous ce soir ?

— Bien. Un peu plus faible qu'hier, mais rien d'étonnant à cela.

Le médecin prend son pouls, puis sa tension.

— Vous ne vous alimentez toujours pas ?

— Non, je n'ai pas d'appétit.

— Vous ne ressentez aucune douleur particulière ?

— Des petits inconforts, mais rien de vraiment très douloureux. J'ai plutôt l'impression que mes forces partent lentement. Heureusement, j'ai encore toute ma tête.

Hugo se sent obligé d'intervenir :

— Je confirme !

Le médecin sourit et poursuit :

— C'est bien qu'on vous ait mise avec ce jeune homme, ça vous fait un peu de compagnie.

— Oh oui, répond Blanche en tournant la tête vers Hugo. Non seulement je n'ai plus de famille, mais à mon âge, je n'ai presque plus d'amis non plus et ceux qui restent habitent loin et ne peuvent se déplacer.

Le médecin propose à la vieille femme de la mettre sous perfusion afin de lui donner un peu de glucose et un analgésique. Blanche commence par s'y opposer, mais finit par céder, se disant qu'elle restera ainsi un peu plus longtemps auprès d'Hugo. Tandis que le médecin quitte la chambre, l'infirmière enfonce à grand-peine l'aiguille dans l'avant-bras décharné de Blanche et installe la perfusion. Hugo, qui regarde l'opération, est frappé par un tatouage sur le bras dénudé de la vieille dame. Une fois l'infirmière partie, il ne peut s'empêcher de demander :

— Je voudrais pas être indiscret, mais c'est la première fois que je vois une personne âgée tatouée. C'est quoi ces numéros ? Blanche sourit.

— Ce n'est pas moi qui ai fait tatouer ces chiffres. On m'a marquée comme on marque le bétail.

Hugo est sidéré.

— Que… que voulez-vous dire ? On vous a fait ça en prison ?

— En quelque sorte. As-tu déjà entendu parler d'Auschwitz ?

— Le camp de concentration nazi en Pologne ?

— Exactement.

— Vous avez été déportée ?

— Oui, à l'âge de dix-sept ans, avec ma mère et mon frère. Et ce tatouage, c'est mon matricule.

— Je suis désolé. Je savais pas…

Blanche sourit.

— Comment aurais-tu pu savoir !

— Et vous avez gardé ce tatouage ?

— Pour ne jamais oublier.

— Comment vous vous en êtes sortie ? Vous avez été libérée par les Américains à la fin de la guerre ?

— Ce sont les Russes qui ont libéré Auschwitz. Mais pour nous, ça a été plus compliqué que ça. En janvier 1945, lorsque l'Armée rouge a pénétré en Pologne, les nazis, plutôt que de nous exterminer sur place, comme ils l'avaient fait avec des millions d'autres avant nous, ont décidé d'évacuer les derniers rescapés du camp et de les ramener en Allemagne.

Hugo est très choqué. Il avait étudié au lycée cet épisode tragique de la seconde guerre mondiale, mais n'avait jamais rencontré de rescapé des camps de la mort et cela restait assez abstrait. Se trouver face à l'une des dernières survivantes de l'un des plus terribles camps d'extermination rend d'un coup cette insupportable réalité plus tangible.

— Donc, une nuit, poursuit Blanche, ils nous ont réveillés à quatre heures du matin, nous ont distribué des vivres et nous ont fait sortir du camp. Nous avons marché pendant trois jours et deux nuits dans un froid glacial. Nous avions tellement froid et tant de peine à avancer avec nos misérables sabots ! Nous progressions, par colonnes de cinq femmes, sur les traces des hommes qui nous avaient précédées de quelques heures. Nous tombions régulièrement sur les cadavres de ceux qui n'avaient plus pu faire un pas et que les SS avaient froidement exécutés. C'est ce qui aurait dû m'arriver. Je me suis effondrée d'épuisement et, en tombant, ma tête a heurté une pierre. Voyant le sang couler sur ma tempe, les soldats ont cru que j'étais morte et m'ont laissée sur place.

— C'est… c'est incroyable que vous vous en soyez sortie.

— Oui, d'autant qu'il devait faire moins vingt-cinq et que j'aurais pu mourir gelée.

— Comment vous avez fait pour survivre ?

— Un couple de bûcherons polonais habitait

94

non loin du chemin. Ils m'ont recueillie, réchauffée et soignée.

— Quelle chance !

— Je ne crois pas au hasard ni à la chance, comme tu le sais. Mon heure n'était pas encore venue et, d'une certaine manière, j'ai aussi choisi de continuer à vivre.

— Je vous suis plus du tout !

Blanche esquisse un large sourire.

— Veux-tu que je te raconte ce que j'ai alors vécu et que je commençais à évoquer juste avant que le Dr Guérin ne nous interrompe ?

— Oh oui, grave ! lance Hugo avec excitation.

— Cette expérience qui a bouleversé ma vie est une sortie de ma conscience hors de mon corps.

Hugo retient son souffle. Au malaise qu'il a déjà ressenti quelques instants auparavant s'ajoute l'émotion de ce qu'il vient d'apprendre de cet épisode tragique de la vie de Blanche.

— Lorsque j'ai chuté, mon esprit a quitté mon corps et je me suis vue allongée sur le sol. J'étais stupéfaite, mais la réalité était là : je ne ressentais plus aucune douleur et je regardais mon corps d'au-dessus.

— C'est impossible !

— Je l'aurais pensé aussi, si je ne l'avais pas vécu ! Et ce n'est pas tout. J'ai ensuite été aspirée dans une sorte de tunnel et en l'espace de quelques instants j'ai revécu les principaux événements de ma vie, de ma petite enfance à ma chute lors de cette marche éprouvante.

— Revécu, ça veut dire quoi ?

— Je les ai vus comme dans un film, avec des scènes qui se succédaient.

— Et vous ressentiez quelque chose ?

— Oui ! Je revivais à la fois les sentiments du passé, mais aussi ceux des autres, et surtout j'avais une compréhension différente des événements. Comme si j'étais plus distanciée, plus consciente et détachée. En même temps, je ressentais encore de la tristesse en revivant les derniers moments les plus douloureux de ma vie. Une profonde tristesse, malgré cet étrange sentiment de paix intérieure. C'est alors que les choses ont pris une nouvelle tournure, que je n'aurais jamais pu imaginer.

Hugo l'écoute avec attention.

— J'ai été à nouveau aspirée dans un tunnel, mais cette fois je montais dans une lumière de plus en plus intense et j'ai ressenti un amour infini qui guérissait toutes mes peines. C'était un bonheur indicible. J'ai vécu une sorte d'orgasme de tout mon être, mais infiniment plus puissant qu'un orgasme sexuel…

Blanche, les yeux grands ouverts, reste un moment dans un état quasi extatique. Hugo l'observe et ressent un trouble immense. Il est prêt à croire à toute cette histoire insensée, tant Blanche semble sincère. Il sent son cœur battre plus vite et un torrent de larmes monter à ses yeux. Puis, soudain, la voix de sa raison lui dit que tout cela n'est qu'une illusion, qu'il ne faut pas qu'il se laisse entraîner par ses émotions et sa sympathie pour cette vieille femme si touchante. À grand-peine, il réussit à contenir ses larmes. Il finit par rire, d'un rire nerveux et froid, et lance :

— Je doute pas de votre sincérité, Blanche. Mais pour être franc, je pense qu'on peut interpréter tout autrement, et de manière beaucoup plus rationnelle, ce que vous avez vécu.

Blanche émerge lentement de son état de grâce et tourne la tête vers Hugo.

— Ah oui ? Et comment l'expliquerais-tu ?

— Vous avez vécu un tel choc que votre cerveau, qui fait toujours tout son possible pour nous aider à survivre et à surmonter les obstacles, a diffusé des doses massives de DMT.

— De quoi ?

— La DMT est une substance similaire à la sérotonine qui est produite par la glande pinéale lorsque nous sommes confrontés à une situation intense de stress. Or il a été démontré que la DMT peut provoquer un état psychédélique, et donc des expériences hallucinatoires très puissantes, en agissant sur le néocortex, la partie la plus élaborée du cerveau. Les gens qui prennent des substances hallucinogènes vivent des expériences similaires.

— Je comprends ton désir de rattacher mon expérience à une théorie qui cadre avec ton univers conceptuel. Lorsque je suis revenue dans ce corps, je me suis demandé si je n'avais pas rêvé. Mais plusieurs éléments m'ont convaincue du contraire.

— Lesquels ?

— Le fait que j'aie vu mon corps inerte, ma blessure à la tempe. Comment aurais-je pu le savoir si j'avais vécu une hallucination, déconnectée de la réalité ? Et puis je suis revenue totalement transformée, avec le sentiment que ce que ma conscience avait expérimenté hors de mon corps était plus réel que tout ce que j'avais pu expérimenter jusqu'alors dans mon corps. Ce n'était pas une expérience physique, mais spirituelle, qui a cependant impacté tout mon être. Je n'étais plus la même après. Et cela jusqu'à aujourd'hui.

Hugo est à nouveau déstabilisé, mais refuse obstinément de se laisser piéger par le discours si apaisé et cohérent de Blanche.

— Qu'est-ce que cette expérience a vraiment changé dans votre vie ?

La vieille femme éclate de rire.

— Tout ! Je ne me sens plus séparée du monde, comme avant, mais j'ai la sensation de faire partie de l'univers. Je n'ai plus jamais connu la peur. Je ne porte plus aucun jugement sur les gens. Je suis toujours sereine, quoi qu'il arrive. J'ai une confiance absolue en la vie et je n'ai plus peur de la mort. Au contraire ! Je sais que je vais bientôt passer dans une autre dimension !

— Moi non plus, je n'ai pas peur de mourir.

— Certes, mais tu n'aimes pas tellement la vie et la vision si sombre que tu en as te fait apparaître la mort comme une libération. Il en va tout autrement pour moi, qui aime tant la vie ! Je suis profondément attachée à ce corps, à cette existence, à cette mémoire, et en même temps je m'en sens détachée. Je sais que je vais bientôt quitter ce corps, avec toutes les sensations et les émotions qu'il a vécues, mais je sais aussi que mon esprit, ou ma conscience, si tu préfères, va poursuivre son chemin dans une autre dimension, invisible, qui est tellement plus vaste et passionnante !

— Au fond, vous croyez en l'immortalité de l'âme. Vous avez cette croyance religieuse.

— Pour moi, ce n'est pas qu'une croyance religieuse. D'ailleurs, dans ma religion d'origine, le judaïsme, on ne parle quasiment jamais d'une âme séparée du corps ou de la vie après la mort, comme dans le christianisme, l'islam ou les sagesses orientales. Je n'ai pas été éduquée dans ces croyances. C'est l'expérience que j'ai vécue qui m'en a donné l'intime conviction. Et cette conviction est partagée par bien des philosophes de l'Antiquité, qui n'adhéraient pas aux mythes religieux. Socrate, Platon, Aristote, les stoïciens, Plotin, et bien d'autres, tous étaient convaincus que notre âme, notre esprit ou notre conscience, peu importe le nom que l'on donne à la partie immatérielle de notre être, peut subsister à la mort du corps. C'est surtout depuis l'époque moderne et le règne de la science expérimentale, qui a réduit le réel à la matière, que l'on considère que cette conviction est illusoire.

— Que voulez-vous dire quand vous dites qu'on a réduit le réel à la matière ? Le réel, ce qu'on voit, ce qu'on touche, ce n'est que de la matière !

Blanche s'esclaffe.

— Mon chéri ! Ne sais-tu pas que « l'essentiel est invisible pour les yeux », comme le dit si bien Antoine de Saint-Exupéry dans *Le Petit Prince* ? Tu n'as jamais vu l'amour, et pourtant il existe bel et bien ! Tu n'as jamais observé au microscope la conscience, et pourtant elle aussi existe. Un philosophe du XVIIe siècle que j'aime beaucoup, Baruch Spinoza, était persuadé que le réel est composé de matière et d'esprit. Les deux sont imbriqués depuis toujours dans l'univers, comme ils le sont dans notre être individuel. Ne voir dans l'être humain et dans l'univers que la matière, c'est passer à côté de la moitié de la réalité, et s'interdire de comprendre tant de phénomènes qui sont d'ordre spirituel. Et puisque tu t'intéresses à la science, tu dois savoir que les deux grandes théories qui tentent d'expliquer le réel, celle de la relativité d'Einstein et celle de la mécanique quantique, sont en contradiction sur des aspects essentiels. Il manque encore une théorie plus vaste, plus profonde, plus vraie, qui puisse rendre compte de la complexité d'un réel qui ne cesse de nous échapper à chaque fois qu'on croit l'avoir saisi. Et cela parce qu'on refuse de voir que le monde est la fois composé de matière et d'esprit, de particules et de conscience, et que les deux sont totalement interconnectés, comme ce génie de Spinoza l'avait déjà parfaitement compris.

23

Pologne, janvier 1945

L'ange semble sourire et me dit : « Bonjour, Ruth. » On ne m'avait plus appelée par mon vrai prénom depuis si longtemps. Je sais que cet être connaît tout de moi. Qu'il me connaît mieux que je ne me connais moi-même. Je sens qu'il ne porte aucun jugement. Il irradie cette lumière et cet amour inconditionnel qui pansent mes plaies. J'ai tant de questions à lui poser, mais je ne sais par laquelle commencer et je ne voudrais pas que les mots brisent ce sentiment d'unité. Une nouvelle fois, il semble lire dans mes pensées et dit :

« Demande-moi ce que tu veux savoir, je suis là pour toi.

— Est-ce que je suis morte ?

— Comment pourrais-tu mourir, puisque tu es immortelle ?

— J'ai vu mon corps étendu dans la neige. Je semblais morte.

— Le corps naît et meurt. Mais l'âme ne naît jamais et ne meurt jamais. Ce que les humains appellent la naissance et la mort ne sont que des passages. Lors de la naissance, l'âme s'incarne dans un corps, et lors de la mort, l'âme quitte ce corps.

— Pour aller où ?

— Pour continuer son voyage.

— Vers un autre corps ?

— Pas nécessairement. Certaines âmes vont se réincarner, sur terre ou ailleurs. D'autres non. Ce que vous appelez les anges n'ont et n'auront jamais de corps. Il existe tant d'êtres et de réalités si variés que les yeux de vos corps ne peuvent percevoir ! Maintenant que tu as quitté ton corps, tu vois d'autres choses avec les yeux de ton âme. »

France, juillet 2019

Blanche semble épuisée. Elle a trop parlé, a mis trop d'énergie dans ses propos. Elle s'arrête et ferme les yeux. Hugo est remué par sa parole, mais plus encore par la peur qu'elle ne parte soudain. Il se lève, fait le tour du lit et s'approche d'elle. Il se saisit de sa main libre de perfusion et observe attentivement la vieille femme. Elle a les yeux clos et respire lentement. Il prend son pouls et constate qu'il est très faible. Il s'en inquiète, mais sait aussi que c'est le choix qu'elle a fait et qu'elle va partir tôt ou tard. Il en est profondément ému. En moins de deux jours, il semble qu'il se soit plus attaché à cette inconnue qu'à n'importe qui d'autre dans sa vie. « C'est peut-être ça qu'elle appelle l'amour inconditionnel », se dit-il en serrant la main de Blanche.

Pologne, janvier 1945

« Pourquoi venir sur terre ? Tout semble tellement plus simple et apaisé ici !

— L'expérience dans la matière lourde de la
terre permet à l'âme d'expérimenter des polarités,
des forces contraires qui la font grandir en amour
et en conscience.

— Que veux-tu dire ?

— Ta conscience de toi-même et du monde progresse par l'expérience des polarités : le jour et la
nuit ; la peur et la confiance ; la faim et la satiété ; la
tristesse et la joie ; le désagréable et l'agréable… Si
tu ne faisais pas l'expérience du malheur, tu n'aurais aucune conscience de ce qu'est le bonheur, et
sans la nuit, tu ne saurais te réjouir de la naissance
du jour. Sans l'expérience de la faim, tu ne saurais apprécier le plaisir de manger, et si tu n'avais
jamais connu le trouble et la peur, tu ne saurais

comprendre et apprécier la paix et la confiance. Sur terre, l'âme fait l'expérience de la dualité et des polarités, ce qui lui permet, encore une fois, de progresser en compréhension et de grandir en amour.

— Nous sommes donc sur terre pour apprendre, comme dans une école ?

— En quelque sorte, oui. Il y a trois choses fondamentales dans l'univers : la réalité, la conscience et l'amour. Si je devais résumer le sens de l'existence humaine en quelques mots, je dirais : tout le chemin de la vie, c'est de passer de l'inconscience à la conscience et de la peur à l'amour. C'est pour cela que les âmes viennent sur terre, même si c'est un chemin souvent douloureux et jonché d'obstacles. Et c'est parce qu'elles l'oublient que l'existence leur paraît souvent absurde, ou vide de sens. »

26

France, juillet 2019

Pendant le reste de la journée, Blanche n'a plus reparlé et a gardé presque tout le temps les yeux fermés. Hugo est sorti de la chambre pour recevoir une nouvelle visite de son père, accompagné cette fois de sa petite sœur. Il a été touché par leur affection. Il n'avait pas réalisé à quel point ils l'aimaient et tenaient à lui. La nuit, il a eu beaucoup de mal à trouver le sommeil. Il n'a cessé de repenser à l'histoire incroyable que Blanche lui a racontée. Si sa raison lui interdit de croire à la réalité de cette expérience, son cœur est troublé, car il sent que la vieille femme est sincère et parfaitement saine d'esprit. Si elle avait raison, si le réel n'était pas uniquement constitué de matière, mais aussi de conscience, et que celle-ci n'était pas produite par la matière, cela bouleverserait toute sa représentation du monde. Il se dit que l'amour ne serait pas qu'une alchimie entre deux corps émanant des substances chimiques, que la spiritualité ne serait pas le produit de notre imagination, et surtout que notre conscience pourrait fort logiquement survivre à la mort de notre corps physique. Tout cela le fascine, mais son scepticisme, lié à son pessimisme naturel, ne lui permet pas d'adhérer aux propos de Blanche. Il ressent le besoin de poursuivre ces échanges, qui certes le déstabilisent, mais l'intéressent vivement. Il s'inquiète toutefois de la santé de la vieille femme, que ces conversations intenses précipitent un peu plus vite vers la fin.

Au petit matin, il est rassuré de voir que Blanche a meilleure mine et semble avoir retrouvé un peu de force. Après le passage des infirmières et les soins du matin, il ne peut s'empêcher de reprendre le fil de la discussion de la veille.

— Blanche, j'ai pas beaucoup dormi à cause de vous !

— Mon Dieu, s'exclame la vieille femme, cela fait longtemps qu'un homme ne m'avait pas fait un tel compliment !

— D'abord, je suis heureux de vous sentir mieux ce matin, car hier soir j'avais peur que notre conversation ne vous ait épuisée.

— Pas tant que ça ! Bien sûr que ça me fatigue

de parler, mais nos discussions me font tellement de bien. J'aime échanger, transmettre, débattre. Je n'ai pas été prof de philo pour rien. Ta présence est un cadeau !

— Ça me rassure.

— Mais je crains que tu n'aies du mal à me croire ! C'est tellement loin de ta vision du monde, tout ce que je te raconte.

— C'est la seconde chose qui m'a empêché de dormir. Vous ne m'avez pas convaincu, même si je remets pas en cause votre sincérité, ni le fait que ce que vous avez vécu ait changé votre vie. Mais je continue de penser qu'il y a sans doute une autre explication, purement physique, à ce qui vous est arrivé, même si je ne sais pas l'expliquer. Et il y a quelques questions que j'aimerais encore vous poser.

— Avec plaisir !

— Vous m'avez dit que des millions de personnes avaient vécu une expérience similaire à la vôtre. Qu'en savez-vous ?

— Pendant de nombreuses années, j'ai pensé que cette expérience était unique. Et puis un jour, en 1975 exactement, un médecin américain, le Dr Raymond Moody, a publié un livre dont le titre a immédiatement attiré mon attention : *La Vie après la vie.* Dans cet ouvrage, cet ancien prof de philo devenu médecin rapporte de nombreux témoignages de personnes réanimées après avoir subi un arrêt cardiaque. Au sortir de leur coma, elles ont témoigné avoir vécu une expérience similaire à la mienne : elles ont revu leur vie, ont été aspirées dans un tunnel de lumière et ont ressenti un amour inconditionnel. Certaines ont aperçu des membres de leur famille décédés. Et aucune n'avait envie de réintégrer son corps, tant elles se sentaient bien dans cette nouvelle dimension. J'ai lu le livre d'une traite et j'en ai pleuré. Pour la première fois en trente ans, je trouvais enfin un écho à ma propre expérience.

— Mais comment se fait-il qu'on n'en ait pas parlé avant ?

— D'abord parce que ceux qui ont vécu une telle expérience ont peur de passer pour des fous. Moi-même, avant toi, je n'en ai parlé à personne d'autre qu'à mon conjoint. Et encore, j'ai attendu de nombreuses années. Ensuite parce que cette expérience est ineffable : aucun mot ne peut vraiment raconter ce qu'on vit et ce qu'on ressent de manière juste. Comme le dit le philosophe Wittgenstein, « ce dont on ne peut pas parler, il faut le taire ». Et beaucoup se sont tus. Et puis aussi, les témoignages se sont multipliés à cause des soins intensifs qui permettent de réanimer des personnes après un arrêt cardiaque ou cérébral. Des personnes qui avant seraient mortes sont maintenant ramenées à la vie et peuvent témoigner de ce qui s'est passé pendant ce laps de temps où elles étaient dans le coma. C'est d'ailleurs amusant de penser que c'est ce monde hyper technologique qui favorise ce type d'expériences, qui tendent à montrer que la conscience survit au corps !

Hugo fait une moue de réprobation, mais laisse Blanche poursuivre son récit.

— J'ai continué à me documenter sur ce qu'on appelle en anglais les *near death experiences* (NDE) et en français les expériences de mort imminente (EMI). J'ai dévoré l'enquête de Patrice Van Eersel, *La Source noire*, qui raconte notamment la vie de cette psychiatre extraordinaire, Elisabeth Kübler-Ross, pionnière de l'approche des soins palliatifs. Ce qui m'a touchée dans son histoire, c'est que cette femme était pleine de compassion. En 1945, elle s'est rendue en Pologne pendant six mois pour apporter un soutien psychologique aux rescapés des camps de la mort. Elle y a attrapé le typhus. Puis elle a continué à accompagner avec amour des milliers de mourants, et c'est ainsi qu'elle a hérité de nombreux témoignages d'expériences de mort imminente. Actuellement, on dénombre plusieurs millions de témoignages à travers le monde, recueillis par des milliers de médecins et psychologues, et étudiés par plusieurs chercheurs, notamment aux États-Unis.

— C'est étonnant, j'en ai jamais entendu parler. Vous êtes certaine que ce sont des vrais scientifiques qui étudient ces témoignages ?

— Oui. Renseigne-toi. Certains scientifiques eux-mêmes ont fait des EMI. L'un des cas les plus remarquables, et qui a profondément ébranlé le monde médical américain, est celui du Dr Eben Alexander, un neurochirurgien, professeur à l'université de Virginie. En 2008, à la suite d'une méningite rarissime et foudroyante, cet éminent chirurgien et universitaire a passé une semaine dans le coma, quasiment en état de mort cérébrale. À la stupéfaction de ses collègues, il est revenu subitement à lui et a retrouvé, en peu de temps, la quasi-totalité de ses capacités. Il a alors raconté avoir fait une EMI extraordinaire, qui a totalement changé sa conception jusqu'alors matérialiste du monde. Il a publié un ouvrage dans lequel il récuse, une à une, toutes les hypothèses matérialistes qui ont pu être avancées pour tenter d'expliquer ce qui lui était arrivé.

— Il affirme aussi avoir ressenti, comme vous, un amour inconditionnel, une sorte d'état de bonheur parfait ?

— Tout à fait. Et comme moi, il est entré en relation avec un être de lumière, qui l'a enseigné.

— C'est quoi cette histoire ! Vous m'avez pas parlé d'une rencontre avec un « être de lumière » !

— C'est parce que je te gardais le meilleur pour la fin ! répond Blanche d'un ton malicieux.

Hugo éclate de rire.

— Ha ha ha ! Il ne manquait plus que ça ! Vous avez rencontré Dieu en personne ?

— Pas Dieu. Un être de lumière, qui avait une forme assez proche de celle d'un être humain et qui s'est présenté à moi comme un ange.

— Dieu ou ange, peu importe ! Là, on est à fond dans la croyance religieuse.

— Par le mot seulement, Hugo. Certes le mot « ange » est présent dans la Bible pour qualifier ces purs esprits bienveillants, créés par Dieu, qui peuplent le monde invisible et veillent sur les humains. Mais peu importe le nom de ces êtres. Ce que j'ai vu, c'est une entité lumineuse, qui dégageait un amour absolu et qui pouvait communiquer avec moi par la pensée. Je pense qu'il s'est présenté comme un ange, parce qu'il savait que c'était ainsi qu'on appelait ces entités dans ma culture. Si je n'avais eu aucune culture religieuse, il n'aurait sans doute employé aucun terme de ce genre pour se qualifier. C'est d'ailleurs ce qui m'a frappée lorsque j'ai lu des centaines de témoignages d'EMI : les entités spirituelles que rencontrent les témoins lors de leur voyage dans l'au-delà se présentent toujours sous des traits et des noms que peuvent connaître leurs interlocuteurs. Des juifs vont voir des anges, des chrétiens affirment parfois avoir vu le Christ, des hindous Krishna, etc.

— C'est bien la preuve que ces êtres n'ont aucune réalité ! Ils sont juste le produit du cerveau et de l'imagination de ceux qui pensent les voir ! s'exclame Hugo.

— C'est une possibilité. Mais que fais-tu alors de tout ce qui reste objectif dans les EMI ? La vision de son propre corps, avec souvent l'observation de détails qu'un patient dans le coma n'aurait pu voir. Des milliers de personnes ont raconté des conversations et des gestes qui avaient eu lieu dans la salle de soins pendant qu'on tentait de les réanimer. On n'a trouvé aucune explication logique à ces témoignages. Il y en a une autre, qui n'invalide pas la réalité de l'expérience, c'est que ces êtres de lumière prennent une apparence ou un nom qui nous sont familiers, afin de ne pas nous effrayer.

— Mais vous m'avez dit vous-même que vous n'aviez reçu aucune culture religieuse. En quoi les anges vous étaient-ils familiers ?

— Ils l'étaient un peu par ma lecture de la Bible, livre qui abonde en manifestations angéliques. Il y a d'ailleurs quelque chose qui m'a troublée, c'est que l'ange qui m'est apparu s'est présenté comme « l'ange de la consolation ». Or, j'ai découvert des années plus tard, en faisant des recherches, que c'est ainsi que la tradition chrétienne nomme l'ange qui a consolé Jésus au mont des Oliviers, alors qu'il vivait une terrible agonie, juste avant d'être arrêté et crucifié. Je me suis demandé si la mission de cet être de lumière et d'amour n'était pas de consoler ceux qui sont les plus désespérés. Mais bon, ça c'est une autre histoire ! Ma familiarité avec les anges, poursuit

Blanche, vient aussi, et peut-être davantage encore, de mes lectures profanes. La thématique de l'ange fait intégralement partie de toute notre culture occidentale. Ils sont présents partout : sous forme de sculptures, dans des tableaux, des romans, etc. Je t'ai parlé de Victor Hugo, ses poèmes sont peuplés d'anges ! Veux-tu que je t'en récite encore un, délicieux, que j'ai en mémoire ?

Hugo acquiesce d'un hochement de tête. Blanche ferme les yeux, esquisse un sourire, attend de longues minutes, puis elle commence à réciter d'une voix habitée :

Heureux l'homme, occupé de l'éternel destin,
Qui, tel qu'un voyageur qui part de grand matin,
Se réveille, l'esprit rempli de rêverie,
Et, dès l'aube du jour, se met à lire et prie !
À mesure qu'il lit, le jour vient lentement
Et se fait dans son âme ainsi qu'au firmament.
Il voit distinctement, à cette clarté blême,
Des choses dans sa chambre et d'autres en lui-
     même ;
Tout dort dans la maison ; il est seul, il le croit ;
Et, cependant, fermant leur bouche de leur doigt,
Derrière lui, tandis que l'extase l'enivre,
Les anges souriants se penchent sur son livre.

27

Pologne, janvier 1945

« Tout me paraissait tellement absurde et révoltant ces dernières années : cette guerre, ces camps de la mort, cette souffrance extrême. Même cela, tu veux dire que ça a du sens ? Pourquoi le mal existe-t-il ?

— Ce que vous appelez le mal peut se concevoir comme la privation du bien. Sans l'expérience du mal, vous n'auriez aucune conscience de ce qu'est le bien. Sur terre, tout est expérience. Certaines sont lumineuses, d'autres ténébreuses. Certaines dilatent le cœur, d'autres l'éprouvent. Certaines consolent, d'autres terrifient. Lorsque tu es plongée dans la douleur, ne regarde pas ta vie uniquement à l'aune de la souffrance. Considère-la comme un tout indivisible, avec ses hauts et ses bas, ses joies et ses tristesses, sa part d'ombre et de lumière, et rappelle-toi les moments heureux du passé. Alors, tu pourras continuer d'aimer la vie, malgré tout. Et lorsque tu passeras définitivement de l'autre côté du miroir – ce que vous appelez la mort – tu verras l'envers des choses et comprendras que toutes les expériences que tu as traversées pouvaient te faire grandir en humanité, en conscience et en amour. Mais c'était à toi d'en décider. Car toute âme est libre. Non pas toujours du choix des événements qui arrivent, mais toujours de la manière dont elle va y réagir. Si tu comprends que toute expérience peut te faire grandir, alors tu sauras donner du sens à tout ce qui t'arrive et tu progresseras de plus en plus en joie, en sérénité, en connaissance de toi-même et du monde, et surtout en amour, qui est l'énergie la plus forte et la plus élevée de tout ce qui est. »

28

France, juillet 2019

— Il est beau ce poème, dit Hugo d'un ton plus apaisé. C'est vrai, chaque fois que je me lève très tôt, j'ai l'impression que mes journées sont hyper longues et pendant mes révisions, c'est le matin que j'avais l'esprit le plus clair. Mais là, l'histoire des anges qui se penchent sur son livre, c'est un symbole, c'est pour faire joli ! Il n'y croyait quand même pas !

— Détrompe-toi ! S'il n'avait pas été baptisé et n'avait reçu aucune éducation religieuse, Victor Hugo était très croyant. Il croyait en Dieu, aux anges et en la vie éternelle ! Sais-tu qu'il a même fait du spiritisme pendant des années pour entrer en contact avec l'esprit de personnes défuntes ?

— Vous voulez dire qu'il faisait tourner les tables ?

— Oui ! C'était un républicain très engagé.

Après le retour de la monarchie, il a dû s'exiler sur l'île anglo-normande de Jersey. C'était au milieu du XIXe siècle, à une période où le contact avec les esprits se développait comme une traînée de poudre, d'abord aux États-Unis, puis en France, à travers Allan Kardec. Une amie de Victor Hugo, fervente adepte du spiritisme, est venue lui rendre visite à Jersey. D'abord sceptique, le poète a été bouleversé lorsque l'esprit de sa fille Léopoldine, décédée dix ans auparavant, s'est manifesté. Il a alors poursuivi l'expérience en famille, à raison d'une ou deux séances par jour pendant deux ans. Plus d'une centaine d'esprits se sont manifestés, dont ceux de certains personnages illustres, comme Jésus, Dante ou Shakespeare. Hugo était persuadé de la véracité de ces contacts avec l'au-delà et a pris en note l'intégralité de ces échanges, qui ont été publiés longtemps après sa mort.

— Et vous y croyez aussi, vous, à tout ça ?

— Je suis assez partagée sur cette question. Autant je suis convaincue que de purs esprits, qu'on appelle les anges dans notre tradition, ou les esprits des défunts existent bel et bien, autant je ne suis pas certaine que ce soient eux qui se manifestent lors des séances de spiritisme. Ça peut être aussi un phénomène psychique qui lie les inconscients des personnes présentes.

— Ah, enfin un peu de rationalité !

— Mais je n'exclus pas non plus que certains

esprits puissent chercher à entrer en contact avec nous. Je ne crois pas que la frontière entre le monde visible et le monde invisible soit étanche. Je connais plusieurs personnes qui ont eu des contacts avec des proches défunts, de manière très diverse. Mais je me méfie un peu du caractère systématique du contact avec les morts à travers le spiritisme. Et, même dans l'hypothèse où des esprits se manifesteraient lors de ces séances, leur identité ne me paraît pas fiable non plus. N'importe quel esprit un peu farceur peut se faire passer pour Jésus ou Mozart !

— Vous disiez pourtant que Victor Hugo, lui, y croyait dur comme fer !

— Oui, car cela l'a inspiré. Cette expérience a complètement renouvelé et nourri sa créativité. Son inspiration poétique et littéraire en a été décuplée.

Hugo prend un air amusé et répond sur un ton badin :

— De toute façon, à partir du moment où on admet que la conscience peut exister en dehors de la matière et du corps, tout est possible : Dieu, les anges, les esprits des défunts, etc. Donc pourquoi pas aussi ces contacts avec les morts. Mais pour être franc avec vous, Blanche, j'arrive pas à adhérer à ce postulat de base. Ce serait sans doute différent si j'avais, lorsque j'ai perdu connaissance, vu mon corps et les pompiers tenter de me réanimer. Mais non. Aucun souvenir. Black-out total entre le moment où j'ai avalé les comprimés et celui où je me suis réveillé ici, à côté de vous. Ni vision, ni lumière, ni anges, ni défunts, ni amour inconditionnel, ni orgasme cosmique. Rien. *Nada*. Ou bien c'est peut-être parce que je n'y crois pas ?

— Cela n'a rien à voir. Je t'ai dit que des personnes totalement matérialistes et athées avaient vécu ces expériences.

— Bon, alors, pas de chance. Ce sera peut-être pour la prochaine fois ! Sincèrement, Blanche, je pense que jamais on n'arrivera à prouver scientifiquement que tout ça est vrai !

— Je suis d'accord avec toi.

— Vous me disiez l'inverse à l'instant !

— Tant que la science restera enfermée dans un paradigme matérialiste, il est fort probable, en effet, qu'on ne puisse trouver une méthode, ou un protocole, susceptible d'appréhender les phénomènes de l'esprit. On devra se contenter, ce qui n'est déjà pas si mal, de collecter des témoignages et de conclure, face aux plus troublants d'entre eux, qu'on ne trouve pas d'explication rationnelle. Mais peu m'importe, je ne cherche pas à prouver l'existence de l'esprit et son caractère immortel. Je te fais partager mon expérience, en espérant qu'elle te conduira peut-être à te poser de nouvelles questions, c'est tout !

Blanche reste songeuse quelques instants. Puis elle regarde le jeune homme droit dans les yeux.

— Ce qui m'importe le plus, c'est toi. Réponds-moi franchement, Hugo, tu envisages de recommencer ?

Il détourne les yeux vers la fenêtre. Il est absorbé par ses pensées. Il finit par se tourner de nouveau vers Blanche et lui dit d'une voix émue :

— J'ai compris beaucoup de choses ces deux derniers jours. C'est peut-être trop tôt, en effet, pour arrêter l'aventure. Je crois que je vais me donner une seconde chance de réussir ma vie.

Blanche, un sourire lumineux aux lèvres, lui saisit la main.

— Oh, Hugo, ça me met en joie ce que tu dis ! Tu es jeune, tu es intelligent, tu es sensible, tu es beau : tu as tout pour mener une vie magnifique ! Il te manque seulement la confiance en toi et la foi en la vie. Sans confiance, on ne peut avancer. Et la confiance est liée à l'amour. C'est parce qu'on s'est senti aimé de manière inconditionnelle qu'on a confiance en soi et dans la vie. Ton père n'a sans doute pas su te montrer cet amour et ta mère est sans doute partie trop tôt ?

Hugo retire doucement sa main et baisse les yeux.

— Je sais pas. Enfant, j'étais, paraît-il, plutôt joyeux et insouciant. Après, quelque chose s'est cassé. Je suis devenu plus taciturne. Un peu comme si j'étais blasé de tout.

— Tu sais, j'ai été prof longtemps et j'ai rencontré pas mal de jeunes qui vivaient ce genre de crise existentielle. C'est assez normal. Ça fait partie des soubresauts de l'adolescence, cette mue vers le monde adulte fait vivre tellement de changements dans le corps et dans la relation à soi-même et aux autres.

— Oui, oui, et ça s'explique aussi très bien d'un point de vue hormonal. Mais chez moi, il y a quelque chose de plus morbide, de plus désespéré, qui s'est enkysté depuis le début de l'adolescence.

— Et tu n'arrives pas à le relier à un événement en particulier ?

Hugo prend le temps de réfléchir, puis fait une moue. Il se sent mal à l'aise. Il pousse un soupir et demande à Blanche avec un petit sourire ironique :

— Vous n'auriez pas un pétard ?

Blanche éclate de rire.

— Figure-toi que je n'ai essayé que deux fois et que ça m'a rendue malade à chaque fois !

— Moi c'est l'inverse, ça me nettoie le cerveau et ça me détend grave !

— Tu en prends souvent ?

— De la beuh ? Deux ou trois fois par semaine, pas plus.

— C'est déjà pas mal, non ?

— Vous rigolez ! J'ai des potes qui fument une dizaine de pétards par jour.

— Mon Dieu ! Et ils sont dans quel état ?

— Ils planent trop ! Et ils ont aussi des troubles

émotionnels. Moi, c'est juste pour me sentir mieux quand j'ai pas trop le moral. Mais c'est pas une addiction, je peux arrêter quand je veux. Et vous, Blanche, vous avez bien un petit vice aussi ?

— Ha ha ha ! Qui n'a pas ses petites faiblesses ?

— Avouez tout.

— Oui, confessez-moi, mon père !

Ils éclatent de rire. Puis Blanche ouvre la porte de la table de chevet et en sort un petit flacon.

— Un peu d'alcool de prune ?

29

Pologne, janvier 1945

« Je suis donc passée dans ce qu'on appelle l'au-delà ? Je n'aurai plus jamais le même corps ?

— Tu es entre deux mondes, Ruth, car ton corps physique est encore en vie. Il est dans un état que vous appelez le coma. Ta conscience l'a quitté, mais elle peut encore le réintégrer. Veux-tu revenir dans ton corps ? »

Cette question me fait ressentir à nouveau un trouble. Le sentiment d'unité, d'évidence, de sérénité laisse place à une dualité. Je me sens si bien que je ne souhaite aucunement rejoindre mon corps de souffrance. En même temps, j'ai une pensée pour maman. À cet instant, je la vois à nouveau marcher dans la neige. Il fait nuit, elle n'en peut plus. Elle souffre tant dans son corps, mais surtout dans son cœur, du fait qu'elle me croit morte. Je ressens une immense compassion pour elle. J'aimerais tant la consoler, lui dire que je suis vivante et si heureuse ! Mais elle ne peut pas m'entendre.

30

France, juillet 2019

Hugo pénètre dans le bureau du psychiatre. Comme il vient de trinquer joyeusement avec Blanche, il a l'air particulièrement enjoué.

— Eh bien, le moral est revenu me semble-t-il, lui lance le médecin après lui avoir proposé de s'asseoir en face de lui.

— Oui, oui, je me sens mieux, répond Hugo en essayant d'avoir l'air plus sérieux.

— Tant mieux. Plus d'idées suicidaires ?

— Non, répond Hugo sans hésiter.

— Comment s'est passée votre rencontre avec votre père et votre sœur hier soir ?

— Très bien. Ils ont été super. J'ai réalisé la peine que je leur avais faite.

— C'est bien, mais ne vous culpabilisez pas non plus. Vous souffriez et c'est pour cela que vous avez commis cet acte. Le principal, c'est de modifier le regard que vous portez sur votre vie pour ne pas avoir envie de recommencer.

— Oui, oui.

— Bon, je vois que le bilan médical est lui aussi très satisfaisant. Il n'y a plus de raison de vous garder ici alors.

— Ah ?

— Vous semblez surpris.

— Non… euh, si ! Je ne m'attendais pas à ce que vous me fassiez sortir si rapidement.

— Ça vous pose un problème ? Vous n'avez pas envie de rentrer chez vous ?

— Si, si.

— On ne dirait pas. Vous avez peur de vous retrouver dans votre univers ? De revoir vos proches ?

— Euh, non, pas spécialement.

— D'où vient cette réticence alors ?

Mal à l'aise, Hugo fixe ses pieds, puis le plafond, avant de se jeter à l'eau :

— C'est plutôt que j'ai pas envie de laisser une personne que j'ai rencontrée ici.

Le médecin esquisse pour la première fois un léger sourire.

— Ce n'est pas moi, j'imagine !

— Non, en effet !

— De qui parlez-vous ?

— De Blanche.

— Une infirmière ?

— Non, la vieille femme qui partage ma chambre.

— Ah oui, j'avais oublié son nom ! Il paraît qu'elle est très sympathique.

— Plus que ça, docteur. Elle est formidable ! Cette femme a eu une vie incroyable.

— Ah oui ?

Le médecin consulte ses notes.

— Vous avez perdu votre mère à l'âge de dix ans, je crois ?

— Oui, mais ça n'a rien à voir !

— Ça a peut-être quand même quelque chose à voir. Cette femme vous apporte un réconfort de type maternel qui vous a manqué ?

— Pas du tout. C'est à un autre niveau que ça se passe.

— Je serais heureux de savoir lequel.

— C'est compliqué à expliquer. Disons que je me suis attaché à elle. Et puis, on parle beaucoup et ces conversations me font du bien.

— Ah oui ? Et de quoi parlez-vous, si ce n'est pas indiscret ?

— De choses importantes. De la vie, de la mort, du bonheur, de l'amour, de pourquoi on est sur terre. Elle était prof de philo.

— Ah, je vois, fait le médecin avec un léger sourire ironique. Mais il me semble que cette femme est en fin de vie, non ?

— Oui, elle a une insuffisance rénale grave et

a demandé qu'on arrête les dialyses. Elle ne s'alimente plus. Elle n'en a plus que pour quelques jours.

— Huumm…

— J'aimerais beaucoup l'accompagner jusqu'à la fin.

Le médecin enlève ses lunettes et les essuie en silence.

— C'est important pour moi, insiste Hugo. Vous comprenez, docteur ?

— Oui, je comprends, mais je ne pense pas que ce soit une bonne idée.

— Comment ça ?

— Vous venez d'essayer de mettre fin à vos jours. Vous êtes encore fragile et je crains que cet attachement soudain à cette femme, qui fait sans doute écho à votre mère décédée, ne vous replonge dans des idées suicidaires lorsqu'elle partira à son tour.

— Je pense pas, au contraire…

— Vous n'en savez rien, et moi non plus d'ailleurs. Mais le risque est réel et je n'ai pas envie de le prendre. La voir mourir pourrait avoir un effet morbide sur vous et vous donner envie de partir avec elle.

Hugo reste interdit.

— De plus, nous avons besoin de lits dans ce service et je ne peux y laisser un patient qui n'a plus de raison d'y rester, ajoute le médecin. Le mieux, c'est que vous lui fassiez vos adieux maintenant et quittiez l'hôpital dans la foulée. Je vais rédiger votre bon de sortie.

Tandis que le psychiatre remplit un formulaire, Hugo se lève.

— Docteur, je refuse de sortir maintenant. Je veux être là quand elle partira.

Le médecin lève les yeux vers lui.

— Croyez-en mon expérience, ce n'est pas souhaitable pour vous. Et votre insistance ne fait que confirmer ma crainte.

Le psychiatre appuie sur une touche du téléphone fixe. Un infirmier arrive. Le médecin lui tend le formulaire de sortie d'Hugo.

— Tenez. Rendez-lui son téléphone portable. Il va quitter l'hôpital maintenant. Laissez-lui le temps de dire au revoir à la personne qui partage sa chambre.

Hugo suit l'infirmier, abasourdi. Il n'arrive pas à réaliser qu'il va devoir quitter Blanche et qu'il ne la reverra plus jamais. L'infirmier va fouiller dans son placard et ressort le téléphone d'Hugo, qui est enfoui dans une pochette en plastique transparente. Il lui remet son bon de sortie et l'invite à regagner le centre de soins pour récupérer ses autres affaires et dire au revoir à son amie.

Accablé, Hugo regagne sa chambre, ne sachant

comment annoncer la nouvelle à Blanche. Il ouvre la porte et constate avec stupeur que la vieille femme n'est plus dans son lit. Les draps aussi ont été enlevés.

31

Pologne, janvier 1945

« Tu peux la rejoindre si tu veux, Ruth. Un couple de bûcherons va bientôt transporter ton corps et tenter de le réanimer dans leur cabane. Si tu veux revenir, ils y parviendront et tu poursuivras ton existence sur terre de nombreuses années. Tu connaîtras encore bien des souffrances, mais aussi de grandes joies. Ton cœur pourra grandir et ta conscience progresser. Si tu décides de rester ici, ton corps physique périra et ton âme poursuivra ton voyage.

— Vers où ?

— Je ne peux te le révéler tant que tu peux encore rejoindre ton corps physique et poursuivre cette existence que tu avais choisie avant de t'incarner. »

32

France, juillet 2019

Hugo fonce vers le local des infirmières.

— Qu'est-il arrivé à Blanche ? Elle n'est plus dans la chambre !

— On ne sait pas trop, elle a commencé à souffrir terriblement du ventre. Peut-être une occlusion intestinale ou des stases gastriques. Au pire, un infarctus mésentérique.

— Un quoi ?

— Une artère qui irrigue l'intestin qui se bouche. Elle était à la limite de perdre connaissance. On l'a emmenée en salle d'urgence pour essayer de la récupérer. Mais à son âge et vu son état…

— Et pourquoi vous avez enlevé ses draps ?

— On en profite pour les changer. Mais j'espère comme vous qu'elle reviendra. Elle est tellement gentille.

Hugo repart dans la chambre. Il sait qu'il ne peut rien faire pour elle. Il n'y a plus qu'à espérer. Il se sent accablé par un tel sentiment d'impuissance. Soudain une idée lui traverse l'esprit : « L'ange, comment s'appelle-t-il déjà… l'ange de la consolation, il faut qu'il lui vienne en aide ! Mais comment faire, j'ai jamais prié de ma vie… » Claire, l'aide-soignante, pénètre dans la chambre pour mettre des draps propres. Elle est aussi bouleversée qu'Hugo et ils échangent des regards attristés.

— Claire, est-ce que vous priez parfois ? lui lance soudain le jeune homme.

— Oui, souvent, je suis très croyante.

— Formidable ! Vous pouvez prier un ange pour qu'il vienne en aide à Blanche ?

— Pourquoi un ange ? Je prie Dieu, Jésus et la Sainte Vierge.

— Non, eux on sait pas s'ils existent, répond Hugo sans mesurer la portée que ces paroles pourraient avoir sur son interlocutrice. Il faut prier l'ange de la consolation. Blanche affirme l'avoir rencontré il y a des décennies, lorsqu'elle était déjà tombée dans le coma. Il l'a aidée à revenir à la vie.

Claire le regarde, interdite.

— Ils se connaissent déjà, vous comprenez ? explique le jeune homme. Il peut l'aider à nouveau.

— Je n'ai pas l'habitude de prier les anges, mais si ça peut l'aider et vous faire plaisir, pourquoi pas.

— Oh ! Vous êtes merveilleuse, Claire !

— Mais nous allons le faire ensemble.

— Ah non ! Moi je sais pas prier.

— Peu importe, vous allez faire comme moi.

— Mais je sais même pas s'il existe cet ange…

— Vous venez de me dire le contraire.

— Oui, mais moi je crois en rien. Mais s'il existe vraiment, même si c'est très peu probable, ça vaut la peine de tenter le coup, non ?

— C'est pas comme ça que ça se passe. Ce n'est pas un rituel magique, la prière. Cet ange exaucera peut-être votre prière si vous aimez profondément la personne et que vous priez avec tout votre cœur. Donc, même si vous n'y croyez pas, faites un effort !

Hugo est dans un grand état de stress.

— Comment on fait ?

— Faites comme moi.

Claire s'agenouille devant le lit de Blanche, ferme les yeux et fait le signe de croix. Hugo l'imite maladroitement.

— Maintenant, pensez très fort à Blanche et demandez dans votre cœur à l'ange qu'elle connaît de prier pour elle afin que, si c'est la volonté de Dieu, elle puisse rester encore un peu en vie.

Hugo pense intensément à la vieille femme et tente de redire intérieurement ce que l'aide-soignante lui a recommandé. Des larmes coulent le long de ses joues. Il aimerait tellement revoir

Blanche en vie encore une fois, ne serait-ce que pour avoir le temps de la remercier et lui dire au revoir. Après quelques minutes, Claire se signe de nouveau et se relève. Hugo se redresse aussi et la prend dans ses bras. Une intense émotion les relie : cet amour qu'ils portent à cette femme qu'ils connaissent à peine, mais qui a déjà si profondément touché leur cœur.

Pologne, janvier 1945

Même s'il ne veut pas entraver mon libre arbitre, l'ange me fait comprendre que ma vie terrestre peut encore être riche de sens. Je suis si bien ici, mais une petite voix me dit que, puisque le destin m'a épargnée, mieux vaudrait regagner mon corps. Je n'en ai toutefois aucune envie. Le visage de ma mère surgit à nouveau devant moi. Je ressens toute sa souffrance de m'avoir perdue et un immense amour pour elle. Cet amour est plus fort que tout : mieux vaut essayer de retrouver maman et poursuivre l'aventure auprès d'elle. Je décide de revenir. L'ange semble à nouveau sourire. Je ressens un feu d'amour et un torrent de joie inonder mon âme. « Je serai toujours avec toi, Ruth, même si tu ne me vois plus avec les yeux du corps. Souviens-t'en lorsque ta douleur sera grande. Tu n'es jamais seule. Aucun être humain ne l'est, même s'il le croit. Tu es aimée et chérie pour toujours. N'aie plus jamais peur. »

34

France, juillet 2019

Moins d'une heure après, guidé par deux infirmiers, un brancard pénètre dans la chambre. Hugo retient son souffle. Il aperçoit le visage de Blanche. Elle a les yeux clos et est intubée par le nez.

— Alors ? lance-t-il fiévreusement aux infirmiers qui l'ont déposée sur son lit et remise sous perfusion.

— Stase à l'estomac. On lui a fait une aspiration gastrique. Elle va mieux.

Hugo ressent un immense soulagement. «Merci, merci, merci», ne cesse-t-il de répéter intérieurement. Puis il s'assied sur une chaise à côté du lit de Blanche et lui caresse doucement la main. Quelques instants après, elle ouvre les yeux et parvient à sourire. Elle regarde Hugo et serre légèrement sa main.

— Je suis si heureux que vous soyez en vie, lui dit le jeune homme, très ému.

— J'ai… sans doute… obtenu un petit sursis… pour nous, murmure-t-elle difficilement.

Hugo sourit à son tour et lui serre plus fort la main.

— Vous savez que j'ai même prié pour la première fois de ma vie ?

— Pour moi ?

— Oui ! J'avais trop peur de plus vous revoir.

— Qui as-tu prié ?

— Votre ange, celui dont vous m'avez parlé.

— L'ange de la consolation ?

Hugo secoue la tête en signe d'approbation. Puis ajoute, l'œil malicieux :

— Si mes potes m'avaient vu, la honte !

— Eh bien, tu vois, il t'a exaucé ! Je suis heureuse de te revoir. On a encore plein de choses à partager, non ?

Le regard du jeune homme se voile.

— Qu'y a-t-il, Hugo ? Tu as l'air si triste soudainement…

— J'ai une mauvaise nouvelle, Blanche. Le psychiatre ordonne ma sortie de l'hôpital maintenant.

Le visage de la vieille femme se ferme à son tour.

— Allons bon. Et pourquoi donc ?

— Il a peur que je m'attache trop à vous et que je tente à nouveau de me suicider quand vous mourrez.

— Quel idiot ! Tu veux que je lui parle ?

— Ça servirait à rien. Il est trop sûr de lui. Et de toute façon ils veulent libérer mon lit.

Blanche reste un long moment silencieuse, puis demande d'une voix très douce en fixant Hugo dans les yeux :

— Tu as vraiment envie de m'accompagner jusqu'au bout ?

— Oh oui, je veux rester avec vous le plus long-temps possible !

— Et tu n'as pas peur de me voir mourir, de sentir mon corps devenir un cadavre glacé ?

— Non, la mort me fait pas peur.

— Bon, alors il y a une solution.

Le regard d'Hugo s'illumine à nouveau.

— Laquelle ?

— Si tu n'es pas autorisé à rester à l'hôpital, moi je suis libre de m'en aller !

— Que… que voulez-vous dire ?

— Je suis venue ici pour mourir entourée de soins et surtout d'une présence humaine, car comme tu le sais je n'ai plus personne. Mais rien ne m'oblige à rester ici. Je peux très bien leur signer une décharge et rentrer chez moi… à condition bien sûr que tu m'accompagnes.

Hugo, bouleversé, saute au cou de Blanche pour l'embrasser.

— Oui ! Mille fois oui !

Pologne, janvier 1945

Je sens la silhouette lumineuse s'éloigner lentement et j'entends alors un chant céleste, comme un
chœur d'enfants. La mélodie est tellement belle
qu'elle me transperce l'âme et les paroles sont
comme des vœux qui me sont adressés pour la
suite de mon aventure sur terre :

« Nous te souhaitons, amie très chère, tout ce à
quoi ton cœur aspire de beau, de juste et de bon.

Puisses-tu libérer les forces d'amour enfouies
dans ton cœur, transformer tes colères en pardon,
apprendre à mieux apprivoiser tes peurs, traverser
tes chagrins profonds.

Nous te souhaitons des parfums, des saveurs,
des désirs.

Puisses-tu savourer chaque menu plaisir qui t'est offert, accueillir chaque événement comme une occasion de grandir, recevoir et donner le cœur grand ouvert.

Puisses-tu être pleinement toi-même, trouver ton chemin, celui qui te met dans la joie, rencontrer des êtres qui t'aiment, soulager aussi les peines de ceux que tu croiseras. »

36

France, juillet 2019

Blanche a obtenu à grand-peine un certificat de sortie contre avis médical. Son médecin, en effet, a commencé par refuser, mais à force de ténacité, elle a fini par obtenir gain de cause. Hugo l'a réinstallée dans son fauteuil roulant, puis ils ont pris un taxi et sont arrivés au domicile de la vieille femme, guère éloigné de l'hôpital. Situé au deuxième étage et donnant sur une jolie petite cour arborée, l'appartement comporte deux chambres et un bureau. Il y fait un peu chaud et Hugo ouvre la grande fenêtre du salon. Il est impressionné par les milliers d'ouvrages qui tapissent les murs de toutes les pièces.

— Vous avez lu tout ça ? !

— Qu'est-ce que tu crois ! Ce n'est pas de la décoration ! Et puis mon mari était aussi un gros lecteur, même s'il ne lisait pas les mêmes livres que moi.

— Il était menuisier, c'est ça ?

— Oui. Il lisait des romans policiers et des biographies historiques pendant que je m'usais les yeux sur les livres d'Aristote et de Kant ! Tiens, conduis-moi dans mon bureau.

Hugo pousse le fauteuil jusqu'à la table de travail de Blanche. Le bureau est parfaitement rangé.

— Ouvre le premier tiroir et donne-moi la boîte.

Hugo s'exécute et tend à la vieille femme une boîte en fer qui doit avoir une bonne cinquantaine d'années. Blanche l'ouvre lentement avec une expression de gourmandise. Elle en sort une dizaine de photos, la plupart en noir et blanc.

— Regarde ! Voici mon Jules ! C'est le jour de notre mariage.

Hugo observe ému le visage émacié d'un bel homme au regard clair. Mais il est surtout attiré par le visage de la mariée.

— Oh, Blanche ! Vous êtes magnifique !

— J'avoue que je ne déplaisais pas aux hommes ! ditelle avec fierté.

Elle lui montre ensuite des photos de son fils et celle, plus ancienne, d'une femme d'une quarantaine d'années entourée de ses deux enfants, un garçon et une fille.

— Maman, mon petit frère et moi.

— C'est curieux que vous n'ayez pas emporté ces photos avec vous à l'hôpital.

— Je suis heureuse de te les montrer, mais tu sais, ils vivent tous dans mon cœur ! Il me suffit de fermer les yeux et tant de souvenirs si vivants remontent à ma mémoire. Bon, allons nous installer au salon et prendre un grand verre d'eau : ça m'a donné soif, cette fugue de l'hôpital !

Hugo allonge Blanche avec des oreillers sur le canapé et va chercher deux verres d'eau à la cuisine. Puis, toujours impressionné par les livres, il ne peut s'empêcher d'en saisir quelques-uns pour les feuilleter.

— Blanche, si vous deviez partir sur une île déserte, à part les poèmes de Victor Hugo, quel livre emporteriez-vous ?

— L'*Éthique* de Spinoza ! répond la vieille femme sans l'ombre d'une hésitation. Tiens, il est là-bas, tout au bout de cette étagère.

Hugo regarde les ouvrages et remarque qu'il y a cinq ou six exemplaires de l'*Éthique* dans des éditions différentes.

— Mais vous l'avez en plein de versions !

— Oui car les traductions ne sont pas les mêmes et j'aime les comparer.

Hugo en prend une au hasard et feuillette l'ouvrage, lisant çà et là quelques lignes.

— Il existerait pas une traduction du français en français ? Parce que quoi que je lise, j'y comprends strictement rien !

Blanche éclate de rire.

— Ah, sacré Spinoza ! C'est vrai qu'il aurait pu écrire dans un style plus accessible. Mais si on fait l'effort de le comprendre, c'est fabuleux. Il a tout compris ! Au XVIIe siècle, il a imaginé nos démocraties laïques modernes. Il est le père de la psychologie des profondeurs et le pionnier des études historiques et critiques des textes religieux. Mais surtout sa métaphysique et son éthique sont lumineuses.

— Sa quoi et son quoi ? fait Hugo avec un petit sourire narquois.

— La métaphysique, comme son nom l'indique, c'est l'étude de ce qui va au-delà de la physique. C'est l'étude philosophique des grandes questions ultimes, notamment celle de Dieu. Et l'éthique, c'est ce qui guide notre action. Ce sont nos valeurs et nos règles de vie, si tu veux.

— Spinoza croyait en Dieu ?

— Il ne *croyait* pas en Dieu, car il n'était pas croyant et il a même été violemment banni de la communauté juive à l'âge de vingt-trois ans pour sa profonde irréligion. Mais il a *pensé* Dieu dans le cadre de sa philosophie. Pour lui, Dieu n'est pas un être supérieur et extérieur au monde, comme le dit la Bible, mais un être infini, qui est la substance de tout ce qui existe, tant la matière que l'esprit. Dieu n'est pas transcendant au monde, il ne l'a pas créé à un moment donné, mais le monde existe de toute éternité et Dieu est immanent, c'est-à-dire qu'il est partout.

— Et vous êtes d'accord avec lui ?

— Je me suis longtemps considérée comme athée. Mais depuis que j'ai lu l'*Éthique*, je dirais, comme Einstein, que je crois au Dieu cosmique de Spinoza.

— Mouais… Et son éthique, ça dit quoi ?

— Que tout organisme vivant fait un effort pour persévérer et grandir dans son être. Et chaque fois qu'il grandit, il est dans la joie et chaque fois qu'il diminue, il est dans la tristesse. Ce qui doit guider notre action, c'est la recherche de la joie, de ce qui nous fait grandir et augmente notre puissance vitale.

— Ah ça, ça me parle mieux !

— Souviens-toi, quand je t'ai parlé de la recherche de ton propre chemin, je t'ai dit d'aller vers ce qui te met dans la joie.

— C'est vrai.

Hugo repose le livre, mais Blanche l'interrompt avec force :

— Garde-le ! Je te l'offre.

— Ça me touche, Blanche… mais je vais pas y comprendre grand-chose.

— Maintenant peut-être, mais à force de le lire, tu y trouveras des perles qui pourront t'aider à vivre.

— Alors volontiers, et ça me laissera un souvenir de vous. Il ne me quittera jamais.

Hugo se saisit du livre et va vers Blanche pour l'embrasser sur le front.

— Tu conserveras aussi l'exemplaire des *Contemplations* que j'ai avec moi. Et puis, j'aimerais te confier un troisième ouvrage, tout aussi précieux.

— Faut pas, Blanche…

— Penses-tu ! Tous ces livres, comme cet appartement, iront à des associations humanitaires après ma mort. Alors s'il en manque quelques-uns, ça ne dérangera personne ! Monte sur l'escabeau et va chercher sur la gauche de la dernière étagère.

Hugo s'exécute.

— Il y a un petit livre, en format poche, qui s'intitule *Une vie bouleversée*.

Hugo consulte le dos des ouvrages et en sort un.

— *Une vie bouleversée* d'Etty Hillesum, c'est ça ?

— Oui. C'est le journal d'une jeune femme juive hollandaise déportée, comme moi, à Auschwitz. Elle y est morte avant que je n'y arrive. Comme j'aurais aimé la rencontrer !

— Mais comment a-t-elle pu publier son journal si elle est morte là-bas ?

— En fait, ce sont des textes qui ont été réunis bien après sa mort et le livre n'a été publié qu'en 1975. Il contient son journal de jeune femme adulte, qu'elle tenait à Amsterdam avant d'être arrêtée, ainsi que des lettres qu'elle a écrites lorsqu'elle a été déportée dans le camp de transit de Westerbork, juste avant d'être envoyée à Auschwitz. Ces lettres sont bouleversantes. Ce sont de profondes leçons d'humanité. On devrait les lire dans toutes les écoles du monde !

— Pourquoi ?

— Tu les liras et tu comprendras pourquoi. Mais en deux mots, alors qu'elle vit derrière les barbelés, dans la misère et l'humiliation les plus totales, elle raconte que rien ni personne ne peut lui enlever sa joie et son amour de la vie.

— C'est un peu ce que vous avez vécu, non ?

— Pas du tout ! Quand j'étais dans le camp de la mort, j'étais malheureuse et triste à en mourir. Je n'en pouvais plus de la vie et n'y trouvais aucun sens. C'est après mon expérience de mort imminente que j'ai retrouvé le goût de la vie. Ce que l'être de lumière m'a dit m'a profondément éclairée sur le sens de l'existence humaine et m'a redonné le courage de vivre, malgré toutes les souffrances. Ce qui est remarquable chez cette jeune femme, c'est que, sans aucun soutien, elle a surmonté intérieurement cette horrible épreuve des camps de concentration. Donne-moi le livre, je vais t'en lire un bref passage qui dit l'essentiel.

Hugo tend le petit ouvrage à Blanche. Celle-ci le feuillette et tombe sur une page noircie au crayon dans la marge.

— Écoute bien !

Quand on a une vie intérieure, peu importe, sans doute, de quel côté des grilles du camp on se trouve... J'ai déjà subi mille morts dans mille camps de concentration. Tout m'est connu... D'une façon ou d'une autre, je sais déjà tout. Et pourtant, je trouve cette vie belle et riche de sens... Le grand obstacle c'est toujours la représentation et non la réalité.

Blanche referme le livre et pousse un profond soupir, puis poursuit :

— Tu vois, Hugo, ce qu'elle dit là et surtout ce qu'elle vit là, c'est le sommet de toute la sagesse du monde.

— C'est-à-dire ?

— Si jeune, elle a compris et mis en pratique ce que disaient déjà le Bouddha ou Épictète, à savoir que l'obstacle au bonheur n'est pas la réalité, mais la représentation que nous en avons. Le bonheur du sage ne dépend plus des événements, toujours aléatoires, émanant du monde qui lui est extérieur, mais de l'harmonie de son monde intérieur. Etty pourrait laisser ses bourreaux lui enlever cette harmonie, cette paix et cette joie qui habitent son cœur, mais elle refuse de leur donner ce pouvoir. Elle y parvient en ne se focalisant pas sur sa souffrance du présent, mais en regardant la totalité de sa vie, avec ses moments tristes et joyeux.

— Ça semble facile à dire, mais quand on

souffre, on a le nez dedans ! C'est impossible de relativiser comme ça.

— C'est difficile, certes, mais pas impossible. Etty l'a vécu dans les pires conditions et je l'ai aussi expérimenté tout au long de ma vie, après mon retour de déportation. Quand j'ai perdu mon fils unique dans ce terrible accident, le monde s'est écroulé. J'ai été anéantie pendant des jours, des semaines, des mois. Mais ma paix intérieure est revenue et je n'ai jamais perdu mon amour de la vie. La vie m'avait donné vingt ans de bonheur avec lui et je savais que, maintenant, il devait poursuivre son chemin ailleurs et moi apprendre à vivre sans lui. Peut-être d'ailleurs nous retrouverons nous un jour dans une autre vie, qui sait ?

— C'est sûr que de croire en l'immortalité de l'âme, ça doit aider à surmonter la perte d'un être cher.

— Certainement.

Blanche reste pensive quelques instants, puis relève la tête vers Hugo qui continue de feuilleter le livre annoté du début à la fin.

— Un petit thé, ça te dirait ?

Pologne, janvier 1945

Le chœur angélique reprend de plus belle :

« Nous te souhaitons, amie très chère, d'apprendre à aimer encore davantage la vie.

De l'aimer à travers ses hauts et ses bas, ses moments agréables et ses moments difficiles.

De l'aimer pour les joies qu'elle t'offre, mais aussi pour les chagrins qu'elle t'invite à traverser.

De l'aimer dans sa lumière et dans ses ténèbres, dans l'évidence et dans le doute.

De l'aimer dans l'émerveillement des naissances, comme dans la douleur des départs.

Nous te souhaitons de découvrir que de grandes joies peuvent jaillir après des peines profondes.

Que les plus belles lumières surgissent des nuits les plus noires.

Puisses-tu apprendre à aimer la vie, toute la vie, et pas simplement lorsqu'elle te semble le plus favorable.

Et tu découvriras alors que le secret de la joie véritable, que rien ni personne ne pourra jamais t'enlever, n'est autre qu'un amour inconditionnel de la vie. »

38

France, juillet 2019

Hugo prépare le thé dans la cuisine en suivant les recommandations de Blanche. Lorsqu'il revient dans le salon, la vieille femme s'est assoupie. Il n'ose la réveiller. Il regarde plus attentivement la pièce et aperçoit, posé sur une petite table d'angle, un vieux tourne-disque.

— Super ! murmure-t-il en se levant pour aller inspecter l'engin, qui doit dater des années 60.

Il découvre alors une véritable collection de 33 tours, alignés sur les étagères du bas de la bibliothèque. Il les sort les uns après les autres avec fascination. «Putain, c'était beau quand même, ces pochettes», se dit-il, lui qui n'a toujours connu que les téléchargements de musique depuis sa tablette numérique. À côté de nombreux disques d'opéra, de musique classique et de jazz qu'il ne connaît pas, il trouve des disques de variété française d'après-guerre, dont certains noms lui sont connus : Piaf, Trenet, Aznavour, Montand... Mais il porte surtout son attention sur la pop, le seul domaine musical où il partage les goûts de Blanche. Il s'émerveille devant les albums de Pink Floyd, l'un de ses groupes fétiches. « Waouuh, incroyable cette oreille ! » se dit-il en découvrant la pochette de *Meddle*. « Et cette vache ! Trop drôle son regard ! » Tandis qu'il est en train d'ausculter avec ravissement les disques des Beatles, Blanche revient à elle et l'interpelle :

— Alors, tu as vu ma belle collection de disques ?

— Ouais, c'est super !

— On en a acheté des centaines au fil des ans.

— C'est drôle, je m'étais dit qu'un jour je m'achèterais un tourne-disque vintage et presque tous les albums pop que vous avez : les Beach Boys, les Rolling Stones, les Beatles, Pink Floyd, Simon and Garfunkel, Santana, Elton John, Patti Smith, Queen, Cat Stevens, Supertramp, Leonard Cohen, Joan Baez, Bob Dylan...

— Ce ne sont pas mes disques, mais ceux de mon fils, Jean. Il était ado dans les années 70 et nous a fait découvrir tous ces groupes. Je les ai souvent réécoutés depuis, ça me rappelle tant de bons souvenirs !

— Je comprends mieux.

— Tiens, je t'offre le tourne-disque et tous les disques pop que tu veux !

— Oh non, c'est trop, Blanche !

— Ça me fait tellement plaisir ! Je vais te signer un papier pour que tu n'aies pas de souci. Va me chercher mon bloc-notes et un stylo que tu trouveras dans le second tiroir de mon bureau.

— On verra ça plus tard, mais c'est trop sympa ! J'avoue que Queen, c'est quand même plus cool que Spinoza !

— Ha ha ha, ce n'est pas comparable ! Va tout de suite me chercher ce bloc.

Hugo finit par s'exécuter et Blanche rédige d'une main tremblante un papier par lequel elle lui cède les trois ouvrages, son électrophone et tous ses disques pop. Elle lui tend la feuille en disant :

— Veux-tu nous mettre un morceau que tu as envie d'écouter ? La musique me manque.

— Avec plaisir !

Il retourne s'asseoir par terre au milieu de la pile de 33 tours. Après un long temps d'hésitation, il choisit « Angie », dans l'album *Goats Head Soup* des Stones.

— J'aime trop cette pochette, avec Mick Jagger déguisé en femme !

Avec précaution, Hugo sort le disque, le glisse sur l'électrophone et déplace délicatement le bras du tourne-disque. Avec un léger grésillement, le morceau commence :

Angie, Angie
When will those dark clouds all disappear

Angie, Angie
Where will it lead us from here
With no lovin' in our souls
And no money in our coats
You can't say we're satisfied

Blanche ferme les yeux et esquisse un sourire d'enfant. Puis elle les rouvre et regarde Hugo, qui se dandine légèrement.

— Tu m'invites à danser, beau jeune homme ?

Hugo reste interdit.

— Eh bien alors ! J'adore danser et ce sera sans doute ma dernière occasion !

— Vous… vous parlez sérieusement ?

— Bien sûr ! Je dois peser moins de quarante kilos, tu es assez costaud pour me porter dans tes bras.

— Super !

Hugo se rapproche de Blanche et la prend doucement dans ses bras. Puis il commence à tourner lentement sur lui-même en portant la vieille femme.

Angie, Angie
You can't say we never tried
Angie, you're beautiful
But ain't it time we say goodbye
Angie, I still love you
Remember all those nights we cried
All the dreams were held so close

Seemed to all go up in smoke
Let me whisper in your ear

Blanche est comme dans un rêve. Tandis qu'Hugo la porte à bout de bras, en laissant ses pieds effleurer le parquet pour lui laisser la sensation de danser, elle parvient à suspendre ses bras autour de son cou. Elle est tellement heureuse de pouvoir danser une dernière fois dans les bras de ce jeune garçon qu'elle aime autant qu'un fils.

Angie, Angie
Where will it lead us from here
Oh, Angie, don't you wish
Oh your kisses still taste sweet
I hate that sadness in your eyes

Hugo a les larmes aux yeux. Il est impressionné par la faiblesse du corps de Blanche, comparé à la puissance de son esprit. Inversement, il se dit que son esprit est encore bien faible comparativement à sa force physique. Puis il abandonne toutes ses pensées et savoure pleinement ce moment de communion avec sa nouvelle amie. Il sait que cet instant restera gravé à jamais dans son cœur.

But Angie
Angie
Ain't it time we said goodbye

Lorsque le morceau est fini, Hugo repose délicatement Blanche sur le canapé.

— Merci, merci, mon ami, lui lance-t-elle en lui baisant le front. Tu m'as apporté une telle joie !

— Et moi donc ! C'était trop cool !

— Bon et ce thé, alors ? Ça donne soif de danser... même les slows !

— Il est froid. Je vais refaire chauffer de l'eau.

Quelques instants plus tard Hugo revient avec la théière et sert une tasse à Blanche, en l'aidant à se redresser un peu sur ses coussins. La vieille femme porte la tasse à sa bouche.

— Ça aussi, c'est un des grands plaisirs de l'existence !

— Le thé, c'est pas mon truc, mais je comprends. Moi, je suis plutôt bière.

— Oh mon Dieu ! Je n'en ai pas...

— Aucune importance ! Je m'en passe très bien.

— Tu vois, ces boissons qu'on aime tant, ça fait partie de ces menus plaisirs de l'existence qui contribuent aussi à nous rendre heureux. Comme il est important de savoir les savourer. De prendre le temps de les boire lentement, en étant pleinement présent à chaque gorgée ! Il y a tant de choses comme ça qui pourraient nous apporter tant de plaisir, mais dont on se prive parce qu'on n'est pas suffisamment attentif à ce qu'on fait. Par exemple, j'adore prendre ma douche le matin. Et plutôt que de la prendre vite fait, ou en pensant à autre chose, je savoure chaque instant merveilleux où l'eau s'écoule sur ma peau. On ne réalise d'ailleurs pas la chance qu'on a d'avoir ainsi de l'eau à volonté. C'est si précieux.

— Oui. Il y a plein de gens qui ont du mal à avoir accès à l'eau douce et même nous, un jour, on va commencer à en manquer.

— La vie est faite de tous ces petits plaisirs du quotidien : se laver, boire, manger, dormir, regarder une fleur, un arbre, le ciel… et le bonheur, ça commence par les savourer en conscience. En fait, on est amputé de notre âme, mais on est aussi tellement coupé de notre corps et de nos sensations. On est tout le temps dans notre mental ! Il n'y a rien de pire pour être malheureux !

— C'est vrai que je rumine beaucoup. C'est difficile de pas penser. Comment vous faites, vous ?

— J'étais comme toi, comme tout le monde sans doute. Toujours en train de penser à quelque chose. Je suis parvenue à me réapproprier mon corps et à lâcher le mental grâce au yoga.

— Le yoga ?

— Oui, j'en ai fait presque tous les jours pendant plus de quarante ans. J'ai arrêté depuis l'arrêt de mes dialyses et mon hospitalisation, mais il y a encore quelques semaines je pouvais faire des postures qui t'auraient surpris ! Tu en as déjà fait ?

— Euh, oui, une ou deux fois, mais ça m'a pas branché. C'est trop lent.

— Justement, le but, c'est de ralentir ! De reprendre contact avec notre souffle. De placer toute son attention sur le corps et la respiration. Si tu persévérais un peu, je suis certaine que ça te ferait beaucoup de bien. Sinon, fais du sport, mais en étant totalement présent à ton corps, sans penser à autre chose.

— Oui, j'aime nager et courir. Ça me vide la tête.

— Fort bien ! Et tu en fais souvent ?

— Non, j'ai beaucoup levé le pied là-dessus ces deux dernières années, à cause de mes études.

— Il ne fallait pas ! C'est aussi pour ça que tu vas mal. Lorsque tu fais des études ou un métier où tu es beaucoup dans ta tête, il faut absolument rééquilibrer ta vie en pratiquant une activité physique tous les jours : de la marche, du yoga, de la natation, du tennis, du jogging, des arts martiaux... peu importe ! Et l'inverse est vrai aussi. Il faut toujours équilibrer les activités du corps et de l'esprit. Mon mari faisait un travail manuel et il avait besoin de lire et de se cultiver. L'être humain est constitué de quatre dimensions : le corps, le cœur, l'esprit et l'imagination. Pour se sentir bien et grandir en humanité, il faut faire de l'exercice physique, aimer, penser et rêver ! Or depuis des années, j'ai l'impression que tu n'as vécu que dans ta tête, que ce soit par tes études ou à travers tes jeux. Tu m'étonnes que tu n'aies plus goût à la vie, tu passes complètement à côté !

— Ce n'est pas faux.

Blanche regarde l'horloge posée sur la cheminée du salon et s'exclame :

— Mon Dieu, il est déjà dix-neuf heures. Tu n'as rien mangé depuis midi, tu dois être affamé.

— Un peu, mais ça peut attendre.

— Ici je n'ai laissé aucune provision. Veux-tu aller manger au restaurant ? J'ai conservé ma carte bleue et quelques espèces. Je n'aurai pas la force de t'accompagner, mais je t'attendrai ici.

— Non, non. Je préfère rester avec vous. Mais si ça vous dérange pas, je peux me faire livrer une pizza et une bière.

— Excellente idée ! Tu as un numéro ?

Hugo consulte son portable.

— Je vais trouver une adresse dans le quartier.

Moins d'une demi-heure plus tard, un livreur apporte la commande. Blanche insiste pour la régler. Pendant qu'Hugo avale sa pizza avec appétit, elle reprend une tasse de thé.

— Vous n'avez vraiment plus faim ? lui lance Hugo, étonné qu'elle ne mange rien depuis plusieurs jours.

— Ça me surprend moi-même ! J'étais particulièrement gourmande, même si je suis devenue végétarienne depuis bien longtemps.

— Par respect pour les animaux ?

— Pour plein de raisons. D'abord, en effet, parce que je ne supportais plus de voir la manière dont on a commencé à élever et à tuer les animaux, comme s'ils étaient des choses sans sensibilité. Aussi parce que mon corps supportait de moins en moins la nourriture carnée. Et puis encore pour des raisons écologiques. L'élevage est une des causes principales du réchauffement climatique, il consomme infiniment trop d'eau douce et les pesticides qu'on utilise en masse pour la production de céréales à destination du bétail sont une catastrophe !

— C'est vrai. Il faudrait que j'arrive à manger moins de viande.

Hugo reste songeur quelques instants, puis reprend :

— Et vraiment ça n'a pas été trop dur de cesser de vous alimenter quand vous avez été hospitalisée la semaine dernière ?

— Le premier jour, j'avais mal à la tête et mon estomac réclamait encore. Mais curieusement, le lendemain, je n'avais plus faim et je me suis sentie mieux. J'avais lu un livre sur le jeûne qui expliquait que l'addiction à la nourriture passe très vite. C'est vrai : depuis cinq jours je n'ai plus du tout envie de manger, et je bois finalement assez peu.

— Et de me regarder manger, ça vous donne pas faim ?

— J'avoue que quand j'ai senti l'odeur de la pizza, j'ai ressenti un petit quelque chose ! Mais c'est vite passé. Mange en toute bonne conscience, ça ne me dérange pas du tout.

— C'est étonnant comme le corps humain s'habitue à tout !

— Certainement ! Quelle complexité et quelle organisation extraordinaire, le corps humain. Et il en va de même pour tous les organismes vivants et pour les écosystèmes de la nature. La vie est un miracle permanent !

— Un miracle, je dirais pas, mais c'est vrai que tout ça est fascinant. Le hasard fait bien les choses !

Blanche éclate de rire.

— Ne me provoque pas ! Tu sais très bien ce que je pense de ton merveilleux hasard. Mais peu importe la cause ou l'origine de la vie : elle reste pour moi un objet d'admiration et de contemplation.

Blanche se tait quelques instants, puis ajoute :

— Alors tu comprends que lorsque quelqu'un décide d'interrompre le flux de la vie, que ce soit pour tuer un être vivant ou pour se donner lui-même la mort, cela me bouleverse tant !

Un voile de tristesse assombrit le regard d'Hugo, qui reste pensif. Il finit sa dernière part de pizza,

puis relève la tête vers la vieille dame, qui a légèrement fermé les yeux, sentant la fatigue venir.

— Vous savez, Blanche, je vous ai pas tout dit.
Il y a quelque chose que vous savez pas et qui vous
fera peut-être mieux comprendre mon geste.

Blanche se redresse soudainement et regarde le
jeune homme dans les yeux.

— Parle-moi en pleine confiance. Je ne te juge-
rai pas, quoi que tu aies fait, quoi qu'il te soit
arrivé.

Hugo est soudain secoué par des sanglots et
vient se blottir dans les bras de Blanche, qui serre
son visage contre sa poitrine.

39

Pologne, janvier 1945

La silhouette disparaît totalement. Les chants se taisent. Je me sens aspirée en arrière et emportée par le tunnel en sens inverse. Le tunnel s'assombrit. Des sensations nouvelles apparaissent, de plus en plus désagréables. Je vis un grand choc et c'est le noir total. Je ressens à nouveau des douleurs, comme des morsures de froid. Je comprends que j'ai réintégré mon corps. C'est comme si je rentrais dans un scaphandre trop petit et terriblement inconfortable. Je suis comme broyée. J'entends les voix d'un homme et d'une femme qui parlent polonais. J'ai mal partout, mais mon cœur est en paix. J'ouvre péniblement les yeux de mon corps. Je sais que ceux de mon âme resteront ouverts à jamais.

— Mon Dieu, elle est en vie ! s'exclame une vieille femme aux yeux bleus immenses.

Je lui souris et mes lèvres arrivent à grand-peine à murmurer ces mots :

— Oh oui, je suis vivante… tellement vivante !

40

France, juillet 2019

Pendant de longues minutes, Hugo sanglote dans les bras de Blanche, sans parvenir à exprimer le moindre mot. Puis il se redresse et sort un mouchoir en papier de sa poche pour se sécher les yeux.

— Je suis désolé, Blanche…

— Je t'écoute, Hugo. Que s'est-il passé ? demande la vieille femme avec une voix empreinte d'une grande douceur.

— Je devais avoir onze ou douze ans…

Hugo se racle la gorge. Il a du mal à poursuivre. Blanche lui prend la main pour l'encourager.

— Ma sœur et moi, on était en vacances chez mon oncle, le frère de ma mère, qui était décédée un peu plus d'un an avant. Il est venu un soir dans ma chambre et… il a commencé à me caresser. J'étais tétanisé. J'osais rien dire. Il s'est aussi caressé et il est reparti. Le lendemain, il a fait comme si de rien n'était. Et puis, il est revenu la nuit suivante et ça a recommencé. Je me suis mis à pleurer et il m'a posé un oreiller sur la tête pour que personne m'entende. J'ai eu très peur. Je pensais qu'il allait me tuer. Ça a duré toutes les vacances. C'était l'enfer… Je suis tombé malade. On est allés voir un tas de médecins, mais personne savait ce que j'avais. Je vomissais tout le temps et je faisais des cauchemars presque toutes les nuits. J'avais plus envie de vivre. J'avais tellement honte et je me sentais si sale !

Hugo se tait. Blanche lui serre fortement la main et lui demande :

— Tu n'en as parlé à personne ?

— Jamais.

En prononçant ce mot, Hugo explose en larmes. Il retire sa main et se cache le visage. Il ne peut contenir ses pleurs, accompagnés de plaintes déchirantes. Blanche reste là, en face de lui, silencieuse. Elle sait qu'elle ne peut rien faire d'autre pour l'instant. Elle se remémore le moment où on lui avait appris le décès de son fils, Jean. Elle sait qu'Hugo doit pleurer jusqu'à la dernière goutte de la tristesse qu'il porte en lui. Il ne faut surtout pas l'en empêcher en voulant le consoler trop vite. Elle ne sait que trop, face à la détresse la plus extrême, qu'on est toujours seul et que c'est seul qu'on doit la traverser.

Après un long moment, les sanglots semblent se tarir. Puis, soudain, Hugo se précipite pour vomir aux toilettes comme pour exorciser le mal qui le ronge depuis tant d'années. Pendant ce temps, Blanche prie pour lui en silence, le cœur brûlant de compassion. Hugo ressort de la salle de bains, il est livide. Blanche lui tend la main depuis le canapé :

— Viens, mon chéri, viens dans mes bras.

Le jeune homme avance lentement et s'écroule sur le canapé aux côtés de la vieille femme, qui le serre contre elle de toutes les dernières forces qui lui restent. Hugo est épuisé. La violente décharge émotionnelle qu'il vient de vivre l'a plongé dans une sorte d'état second. Il ne pense plus. Il ne ressent presque plus rien, sinon une immense fatigue et un sentiment de vulnérabilité. Les bras de Blanche lui font du bien. Il se blottit contre elle, en position presque fœtale. La vieille femme l'enveloppe autant qu'elle le peut et lui caresse lentement le visage, avec tout l'amour qu'elle porte en elle, en prononçant de temps à autre quelques paroles d'apaisement :

— Je suis là, mon enfant... Je suis là... Tu n'as plus rien à craindre... Je t'aime et je t'aimerai toujours... Repose-toi... Tout est fini maintenant... Je suis là... Je t'aime, Hugo...

Progressivement, le sentiment d'insécurité quitte le jeune homme, qui tombe dans un profond sommeil.

41

Pologne, janvier 1945

Réchauffée et nourrie par mes hôtes, je reprends rapidement des forces. Je n'ai qu'une idée en tête : retrouver maman. Comme j'ai appris quelques mots de polonais au camp, je fais comprendre aux bûcherons que je dois rejoindre la colonne pour retrouver ma mère. Ils font tout pour m'en dissuader. Étrangement, malgré mon état physique pitoyable, je ressens une forte énergie. Comme si cette sortie de mon corps et cette rencontre avec l'ange m'avaient rechargée, malgré la brièveté de cette expérience, qui n'a guère dû durer plus d'une quinzaine de minutes. À l'aube naissante, comme je me lève pour partir, ils me donnent un manteau, de l'eau et du pain pour la route. Je les remercie de tout mon cœur. Nous nous embrassons en pleurant. Je reprends le chemin en suivant les traces de mes codétenues. J'ai quatre ou cinq heures de retard, mais je marche deux fois plus vite que les autres. Je n'ai qu'un objectif : les rattraper avant la nuit.

42

France, juillet 2019

Le jour se lève. Hugo ouvre les yeux. Il est toujours allongé sur le canapé à côté de Blanche, qui a les yeux clos. Il lui faut quelques instants pour réaliser ce qui s'est passé. Il se sent beaucoup mieux. Son cœur et son corps ne lui font plus mal. Il a soif, et même faim. Il se lève délicatement et va dans la cuisine préparer du thé. Il le rapporte dans le salon, avec quelques biscuits qu'il a trouvés au fond d'un placard. Blanche s'est réveillée à son tour et tente de se redresser. Hugo pose le plateau sur la table basse devant le canapé et se précipite vers son amie pour l'aider à se mettre en position assise.

— Bonjour, Hugo !

— Bonjour, Blanche ! Je nous ai préparé un petit déjeuner de fortune !

— Tu m'as l'air d'aller mieux ce matin.

— Oh oui, j'ai trop bien dormi. Et vous ?

— Pas trop mal. Mais j'ai un petit besoin : peux-tu me conduire à la salle de bains ?

Hugo prend Blanche dans ses bras et l'installe sur le siège des toilettes, puis ferme la porte et attend qu'elle le rappelle pour la redéposer sur le canapé. Il lui sert une tasse de thé. La vieille femme a l'air de bonne humeur, malgré la fatigue.

— Comment vous sentez-vous ce matin ? s'inquiète Hugo.

— Très bien ! Comme tu vois, je suis encore là !

Ils rient de bon cœur.

— Et toi ? Comment te sens-tu ? reprend la vieille femme, sur un ton plus grave.

— Bien. Un peu bizarre et cassé, comme si j'avais couru un marathon, mais je me sens libéré d'un poids.

— Tant mieux ! Ah, mon enfant, je suis tellement heureuse que tu aies pu me dire tout ça, ajoute-t-elle en lui attrapant la main. Réalises-tu quel terrible poison rongeait ton cœur depuis toutes ces années ?

Hugo baisse la tête.

— Oui. Merci de m'avoir écouté et réconforté. Je me sens tellement en confiance avec vous. J'avais trop honte.

— Et pourquoi donc ? Tu n'as rien commis de mal. Tu as été la victime d'une personne qui a abusé de toi. C'est lui qui devrait avoir honte !

— Je sais, mais je me sentais comme sali de l'intérieur. Et je m'en voulais aussi de pas avoir su mieux résister. J'aurais dû crier pour que ma tante m'entende, ou filer un coup de boule à cet enfoiré… mais non, j'étais tétanisé.

— Ne t'en veux pas. Il a profité de la situation d'autorité qu'il avait sur toi et tu étais trop jeune pour te défendre. L'as-tu revu depuis ? Lui as-tu parlé ?

— Non ! J'ai toujours trouvé un prétexte pour jamais le revoir et il m'est même arrivé de tomber réellement malade avant une réunion de famille.

— Ne devrais-tu pas lui parler, maintenant que tu as pu te libérer de ce poids ?

— Pour lui dire quoi ? Que c'est un salaud qui a pourri ma vie ?

— Sais-tu s'il a fait la même chose avec ta sœur, ou ses enfants ?

— On n'en a jamais parlé, mais je pense pas. J'ai jamais senti chez eux cette tristesse qui me plombait depuis ces vacances. Par contre, j'ai appris quelque chose de troublant, quelques années plus tard.

— Quoi donc ?

— C'était il y a trois ou quatre ans, dans notre maison de campagne. J'ai trouvé, par hasard, au fond du tiroir de la commode de la chambre de mes parents, un carnet intime que ma mère avait caché avant de mourir. Un carnet datant de son adolescence.

— Comme c'est émouvant !

— J'aurais préféré ne jamais le trouver !

— Allons donc ! Qu'y as-tu découvert ?

— Il y avait pas mal de petites réflexions sur ses ressentis, ses aversions, ses joies, ses questionnements sur la vie. Et puis au milieu de tout ça, une terrible confession.

Hugo pousse un grand soupir et porte la main sur son front en fermant les yeux. Puis il reprend à grand-peine :

— Elle... elle racontait que son grand-père maternel avait essayé d'abuser d'elle pendant des vacances chez ses grands-parents. Il lui avait fait subir des attouchements. Elle avait douze ans. Elle écrivait aussi que son frère, mon oncle, avait peut-être vécu la même chose, parce qu'il avait l'air perturbé après ces vacances et qu'il avait toujours refusé de revenir chez ses grands-parents. Elle disait qu'elle en avait jamais parlé de peur de pas être crue.

Hugo se frotte le visage à deux mains. Il n'arrive plus à parler. Ses yeux sont à nouveau humides.

— Vous savez, Blanche, c'est tellement impensable et innommable de vivre ça...

— C'est formidable que tu arrives à en parler ! C'est tellement important ce que tu me racontes là, Hugo. Tellement ! Je t'en remercie de tout mon cœur.

— Ça devrait jamais arriver, ces choses-là ! C'est horrible ! s'écrie Hugo avec force.

— Bien entendu ! C'est inadmissible et parfaitement condamnable ! Mais, hélas, ça arrive bien plus souvent qu'on ne le croit. La pratique de l'inceste est omniprésente dans toutes les sociétés humaines.

— Mais pourquoi ? Si on aime ses enfants ou ses petits-enfants, ses neveux ou ses nièces, ses frères ou ses sœurs, pourquoi leur faire subir un truc pareil ?

— Tu as la réponse grâce au cahier que tu as trouvé.

Hugo regarde Blanche, stupéfait.

— Que voulez-vous dire ?

— L'inceste, comme d'autres pratiques de maltraitance, se transmet, dans certaines familles, de génération en génération. Comme il est totalement interdit, on n'en parle pas, et il se perpétue à travers une sorte d'inconscient collectif familial, que le psychologue Jung, dont je t'ai déjà parlé, a parfaitement mis au jour.

Bouleversé par ces propos, Hugo réalise qu'il est, comme sa mère, comme son oncle, comme sans doute aussi son arrière-grand-père, la victime d'une longue histoire familiale.

— Mais qu'est-ce qu'il faut faire pour que tout ça s'arrête un jour ? lance-t-il, la gorge serrée par l'émotion.

— Exactement ce que tu viens de faire : en parler. En en parlant, tu romps la chaîne maudite du secret. Et il faut que tu en parles aussi à tous les membres de ta famille : à ton oncle, à ses enfants, à ton père, à ta sœur…

— C'est impossible ! s'écrie Hugo.

— Non seulement c'est parfaitement possible, mais c'est le meilleur service que tu leur rendras. Ainsi, le secret de famille sera définitivement dévoilé. Alors seulement, la pulsion incestueuse inconsciente pourra cesser.

— Mais ça veut dire que nous ne sommes pas libres alors ?

— Chaque individu a une force d'âme différente, qui lui permet de résister, ou non, aux pulsions inconscientes. Mais le risque est fort, et seule une parole libérée, au sein de toute la famille, peut lever la malédiction pour les générations futures. Ta mission sur terre est peut-être d'être celui qui libérera toute ta lignée familiale, passée et à venir, de cette malédiction.

43

Pologne, août 1945

La route est jonchée de cadavres d'hommes et de femmes. À chaque corps que j'aperçois, je tremble de trouver celui de maman. Je me sens portée par une force incroyable. Après une douzaine d'heures de marche, alors que la nuit commence à tomber, j'entends au loin les aboiements des chiens. Je sais que je suis proche. J'aperçois un gros bâtiment agricole entouré de nazis. Je comprends qu'ils ont parqué les déportées dans le hangar pour la nuit. Maman doit être dedans. Mon cœur bat de plus en plus vite. J'abandonne mon manteau afin de ne pas compromettre les Polonais qui m'ont aidée. Les chiens se déchaînent. Accompagné de deux SS, un maître-chien s'approche de moi. Ils m'interpellent en allemand. Je leur explique tant bien que mal que je suis tombée et que je me suis relevée pour rejoindre la colonne.

Ils se regardent stupéfaits, me toisent de la tête aux pieds et l'un d'eux me fait un signe de la tête pour que je le suive. Nous pénétrons dans la grange où des centaines de femmes sont allongées au milieu de machines agricoles. Le SS me demande de m'asseoir par terre. Il revient quelques instants après et me donne un morceau de pain et un gobelet d'eau. Je croise son regard : je ne le considère plus comme un bourreau monstrueux, mais comme un être humain qui est emmuré dans les ténèbres de l'ignorance et de l'obéissance. Je ressens de la compassion pour lui aussi. Comme c'est étrange : mon regard sur la vie a changé à ce point ? L'homme s'éloigne. La lumière chancelante du jour me permet encore de distinguer les visages de ces malheureuses. Où est maman ?

44

France, juillet 2019

Hugo est secoué par les propos de Blanche. Tant de questions et d'émotions surgissent en lui. Puis il esquisse un sourire ironique.

— Peut-être que je serai le libérateur, mais à quel prix !

— Je sais que c'est très lourd ce que tu as vécu. Tellement lourd que ça a certainement été une des causes de ton acte désespéré. Mais sache aussi que cette terrible épreuve de vie peut, si tu le veux, te donner des forces pour aller plus loin encore et te faire grandir comme être humain. C'est ce qu'on appelle la résilience.

— La résilience ?

— Le mot et le concept ont été popularisés en France par un homme merveilleux, que j'admire profondément : le psychiatre Boris Cyrulnik.

— Ah oui, ça me dit quelque chose.

— Orphelin très jeune dans des circonstances tragiques pendant la guerre, il a su surmonter cette épreuve de vie et a montré ensuite que de grandes épreuves peuvent aussi être source de nouvelles forces de vie. Lis son livre, *Un merveilleux malheur*.

— Et ça marche à tous les coups ?

— Non, hélas. Pour être résilient, il faut avoir connu au moins une fois un amour inconditionnel sur lequel on pourra s'appuyer, précise-t-il. N'as-tu pas connu cet amour enfant à travers celui de ta mère ?

— Si.

— Alors rien n'est perdu pour toi. Tu peux rebondir, repartir de plus belle. Et en plus, tu auras sauvé toute ta lignée familiale de la pulsion incestueuse inconsciente. Mais ne te fais pas d'illusions : tu t'engages sur un long travail de reconstruction intérieure. Et pour ta famille aussi, ce sera long et certainement douloureux.

Hugo est à la fois soulagé d'entendre ces paroles qu'il sent vraies, et accablé à l'idée qu'il devra aborder cette question terrible en famille.

— D'abord je me sens pas l'âme d'un sauveur, et ensuite je pourrai jamais revoir mon oncle et lui dire en face tout ça !

— Donne-moi un papier et un stylo et le petit carnet qui est dans le tiroir du haut, avec les photos.

Sans trop comprendre, Hugo s'exécute. Blanche ouvre le carnet et recopie un nom et un numéro de téléphone qu'elle tend à Hugo.

— Qu'est-ce que c'est ? demande-t-il.

— Les coordonnées d'une amie, qui est une excellente thérapeute. Appelle-la de ma part et raconte-lui ton histoire. Elle te prendra certainement en thérapie le temps qu'il faudra. Puis, quand tu seras prêt, elle organisera sans doute une rencontre avec ton oncle et avec les membres de ta famille. C'est mieux de dire tout ça en présence d'un thérapeute. Ce sera plus facile pour toi et ça évitera les règlements de comptes et les dénis de certains. Il faudra sans doute plusieurs séances. Se posera aussi la question de la dénonciation à la justice des actes que ton oncle a commis sur toi. Tout cela s'éclaircira au cours de ce long cheminement.

Hugo regarde le nom et le téléphone et reste silencieux un bon moment avant de dire :

— Je vous promets rien, Blanche. Je ne suis pas sûr d'arriver à en parler à ma famille et d'être capable de me retrouver devant ce salaud.

— Tu as raison d'être en colère, Hugo. Il a commis sur toi des actes inadmissibles et condamnables, tant d'un point de vue moral que juridique. Il n'a cependant sans doute fait que reproduire ce qu'il a lui-même subi. Et même s'il n'a pas subi l'inceste, il a été prisonnier d'un inconscient familial qui a pu le conduire à pratiquer de tels actes. Comme tu pourrais un jour le faire…

Hugo encaisse le coup. Il se prend la tête entre les mains.

— J'arrive pas à croire, si j'ai un jour des enfants, que je puisse faire une chose pareille. Non, c'est impossible, je suis pas un monstre !

Nous sommes tous des monstres en puissance, Hugo. Comme nous sommes tous des saints en puissance. Nous sommes tous capables, dans certaines conditions, de commettre le mal, de dominer les autres, de les tuer. Des pulsions destructrices habitent notre inconscient et peuvent agir à notre insu contre nos plus belles valeurs. Certains y résistent, d'autres pas. De même, nous avons tous des capacités insoupçonnées à faire le bien, à donner notre vie pour autrui. Tout être humain – toi, moi, ton oncle, ta mère – est habité par des forces de bonté et des forces de destruction. Ce qu'on appelle le bien et le mal cohabitent dans notre cœur. Si nous voulons nous libérer le plus possible des forces de destruction, il faut commencer par les identifier. Il ne faut pas les refouler, mais les sublimer, les surmonter en les intégrant par une prise de conscience. Tant que nous restons prisonniers de notre inconscient, qu'il soit personnel, familial ou collectif, la vie nous conduit à vivre des expériences, souvent douloureuses, qui ont pour seul objectif d'amener à notre conscience ce qui nous meut à notre insu, afin de nous en libérer. Freud appelait ça le mécanisme de répétition : tant que tu n'as pas compris quelque chose d'essentiel qui te pousse à commettre des actes de manière pulsionnelle, la vie t'enverra des rencontres, des événements qui t'obligeront à te confronter à cette réalité, à cette croyance, à cette pulsion qui vit en toi et guide tes actes, sans que tu en aies conscience. Comme c'est souvent douloureux, nous accusons la vie et nous nous plaignons de ne pas avoir de chance. Alors qu'au contraire, la vie fait tout pour nous rendre plus lucides et plus libres. À nous de savoir en tirer les leçons…

Hugo reste longtemps pensif. Les paroles de Blanche éveillent en lui tant de questions. Blanche semble aussi accuser le coup. Elle ferme les yeux, tout en gardant la main d'Hugo dans la sienne. Puis, soudain, elle les rouvre et s'adresse au jeune homme avec un sourire d'enfant joyeux :

— Et si on allait au bord de la mer ?

Passé le moment de surprise, Hugo répond avec enthousiasme :

— Quelle bonne idée ! Mais vous n'êtes pas trop fatiguée ?

— C'est curieux, mais je me sens beaucoup mieux ce matin. Comme si j'avais été régénérée pendant la nuit. Je me sens même particulièrement joyeuse. C'est peut-être toi qui m'as redonné des forces en te blottissant contre moi !

Hugo sourit, mais ses connaissances médicales l'incitent à penser que Blanche vit une lucidité terminale, cette mystérieuse rémission inattendue que vivent certaines personnes, notamment souffrant d'insuffisance rénale, juste avant de mourir. Loin de s'en réjouir, il se dit que Blanche est sans doute toute proche de la fin.

— Et puis je n'ai aucune envie de mourir enfermée ici ! ajoute la vieille femme sur un ton enjoué. J'aimerais tellement finir ce voyage avec toi face à l'océan.

Hugo ne dit rien de ses pensées. Il répond à Blanche en souriant :

— Super ! Mais il faudrait une voiture.

— Tu as ton permis ?

— Oui, mais j'utilise la voiture de mon père.

— Tu as ton permis avec toi ?

Hugo acquiesce.

— Prends ma carte bleue et file à la gare nous louer une voiture.

— Pour combien de temps ?

— Oh, je n'en sais trop rien, mais deux jours suffiront certainement. Lorsque je m'en serai allée, tu appelleras les secours. Tout est prévu pour mon enterrement. Je vais te noter le code de ma carte et aussi le téléphone de mon notaire.

— Vous voulez être incinérée ?

— Non ! J'ai choisi d'être enterrée dans le même caveau que mon mari et mon fils. Ne t'inquiète de rien, le notaire sait tout et a l'argent pour ça. Tu lui donneras juste l'attestation que je t'ai faite pour les livres, les disques et l'électrophone.

Hugo hoche la tête en signe d'approbation.

— Bon, file nous chercher une voiture !

— Ok, mais on va où exactement ?

— La baie du Kernic, ça te dit ?

— Près de Plouescat, c'est ça ?

— Exactement. Un des plus beaux endroits au monde, et j'y ai tant de bons souvenirs.

— On y a été quand j'étais petit, mais je ne m'en rappelle plus très bien.

— Quand tu auras la voiture, on partira d'ici avec des couvertures et des coussins. Et tu prendras de l'eau et des provisions pour toi, sur la route.

— Vous avez l'intention de dormir sur place ?

— J'ai l'intention de mourir sur place !

45

Pologne, janvier 1945

Dès que le garde est ressorti, je rampe au milieu de ces corps amoncelés. Les femmes sont tellement exténuées qu'elles ne réagissent pas lorsque je les bouscule. Après un temps de vaines recherches, je m'arrête, épuisée. La nuit est noire. Mon cœur se serre. Un cri sort de ma poitrine :

— Maman ! Maman ! Maman !

Une voix chétive perce le bruit sourd des ronflements et des plaintes :

— Blanche ?

— Maman !

Je bondis en direction de la voix.

— Blanche ? Est-ce toi ?

Une vingtaine de mètres plus loin, je retrouve ma mère qui s'est redressée. Nous tombons dans les bras l'une de l'autre.

— Maman !

— Blanche, ma chérie, c'est impossible ! Je t'ai vue morte...

— Non, maman, je n'étais pas morte. Je me suis relevée pour te retrouver.

Nous pleurons de joie, d'une joie indicible. Plus rien ne nous séparera.

France, juillet 2019

Sur la route, Blanche a demandé à Hugo de mettre de la musique. Il a connecté les play-lists de son smartphone aux haut-parleurs de la voiture. Pendant trois heures, ils ont fredonné ou chanté des tubes des années 60-70 sélectionnés par Hugo, que Blanche connaissait presque tous par cœur : « L'éducation sentimentale », « Une belle histoire », « Ma liberté », « L'aigle noir », « Santiano », « Les copains d'abord », « L'été indien », « Mamy Blue », « Tous les bateaux tous les oiseaux », « Quand on n'a que l'amour », « La ballade des gens heureux », mais aussi « Porqué te vas », « Ti amo », « No Milk Today », « Imagine »… Lorsqu'ils arrivent au parking le plus proche de la mer, Blanche est à la fois euphorique et épuisée. Hugo la porte jusqu'au sommet d'une petite dune de sable qui offre une vue magnifique sur la baie. À cette heure de la journée, en semaine, elle est presque déserte. Puis il retourne chercher les couvertures, les coussins, une petite chaise basse de plage, un parasol, *Les Contemplations* de Victor Hugo, ainsi que des sandwichs et des boissons.

— Nous voilà équipés pour un siège, dit-il avec amusement en retrouvant Blanche, qui contemple avec ravissement le lent mouvement des vagues dans ce majestueux écrin de bleu.

Hugo l'installe confortablement sur la chaise, déplie le parasol pour la protéger du soleil, et s'assied à côté d'elle. Après la joie partagée des chants, la sérénité de la contemplation de la beauté du monde, ils restent plus de deux heures silencieux. Les images de leurs vies qui remontent parfois à leur mémoire ne sont pas les mêmes, mais leurs cœurs vibrent à l'unisson. Ils sont heureux d'être là, ensemble, face à l'océan. Le soleil commence à décliner et la lumière est de plus en plus douce et chatoyante. Ils se désaltèrent et Hugo mange un peu. Puis il demande à Blanche :

— Je suis certain que Victor Hugo a écrit un poème sur la mer lorsqu'il a vécu à Jersey, non ?

— Tout à fait ! Plusieurs même. Mais ce ne sont pas ceux que j'aime le plus. Mon poème préféré sur la mer, c'est celui de Baudelaire. Tu le connais ?

— Je l'ai peut-être étudié à l'école, mais je m'en souviens plus.

— Je l'ai récité tellement de fois face à cet océan qu'il est gravé à jamais dans mon cœur.

Blanche ferme les yeux, prend une profonde inspiration, puis les rouvre et commence à réciter le poème en regardant les flots :

Homme libre, toujours tu chériras la mer !
La mer est ton miroir ; tu contemples ton âme
Dans le déroulement infini de sa lame,
Et ton esprit n'est pas un gouffre moins amer.

Tu te plais à plonger au sein de ton image ;
Tu l'embrasses des yeux et des bras, et ton cœur
Se distrait quelquefois de sa propre rumeur
Au bruit de cette plainte indomptable et sauvage.

Vous êtes tous les deux ténébreux et discrets :
Homme, nul n'a sondé le fond de tes abîmes ;
Ô mer, nul ne connaît tes richesses intimes,
Tant vous êtes jaloux de garder vos secrets !

Et cependant voilà des siècles innombrables
Que vous vous combattez sans pitié ni remord,
Tellement vous aimez le carnage et la mort,
Ô lutteurs éternels, ô frères implacables !

Après un long silence, Hugo s'exclame :
— C'est magnifique !
— N'est-ce pas ?

— Vous m'avez donné envie de relire de la poésie, Blanche.

— Ne serait-ce que pour ça, ça valait la peine que nous nous rencontrions ! Conserve mon exemplaire des *Contemplations* et procure-toi aussi *Les Fleurs du mal* de Charles Baudelaire. Ce sont pour moi les deux plus beaux joyaux de la poésie française. Et puis je te conseille aussi de découvrir le poète contemporain Christian Bobin. Il sait si bien révéler la beauté parfois cachée du réel.

— C'est promis ! Mais vous savez, vous m'avez beaucoup plus apporté que le goût de la poésie pendant ces quelques jours.

Blanche tourne son visage vers Hugo, se saisit une nouvelle fois de sa main, et le regarde les yeux remplis d'amour. Hugo ajoute, avec une forte émotion dans la voix :

— Vous m'avez redonné le goût de vivre. Vous êtes mon ange de la consolation.

47

France, juillet 2019

Blanche est à son tour saisie par l'émotion. Elle presse de toutes ses forces la main de son jeune ami et pose sa tête sur son épaule. Ce dernier glisse son bras derrière son dos et la serre contre lui. Ils continuent de regarder les vagues de l'océan déferler inlassablement sur le sable. Quelques mouettes commencent à chanter. Le soleil poursuit sa lente descente vers les flots bleus. Blanche reprend d'une voix douce et pénétrante :

— Lorsque j'étais dans le coma, lors de mon expérience de mort imminente à l'âge de dix-sept ans, l'ange de la consolation m'a dit cette phrase qui est restée gravée en moi et a éclairé toute mon existence : «Tout le chemin de la vie, c'est de passer de l'inconscience à la conscience et de la peur à l'amour.» Puisses-tu ne retenir que cela et le méditer toute ton existence.

— Pouvez-vous me dire comment vous avez compris cette parole ? demande Hugo, qui croit davantage à l'expérience de Blanche qu'à la réalité de cette rencontre surnaturelle avec l'ange.

— Comme je te l'ai expliqué, tant que nous serons mus par notre inconscient, nous ne serons pas libres. De même, tant que nous serons mus par nos peurs, nous ne pourrons aimer véritablement. Or l'amour et la liberté sont les deux choses les plus importantes dans l'univers. Tout le sens de notre existence sur terre, c'est de parvenir à conquérir notre liberté et à accueillir l'amour, à le faire grandir. C'est parfois un long chemin, fait d'efforts, de douleurs, d'épreuves, d'échecs, d'humiliations, d'abandons, de chutes, mais aussi de progressions, de joies, de pardons, de conversions, de moments de grâce. Tout est bien, Hugo. Crois-moi, malgré les apparences, tout est bien. Mais notre vie ne peut être pleine de sens, belle, réussie, sans notre consentement.

— Que voulez-vous dire ?

— La vie n'est pas belle en soi, pas plus qu'elle n'est aimable en soi. Elle est belle parce que nous savons voir sa beauté. Elle est aimable parce que nous voulons l'aimer. Deux personnes peuvent avoir exactement la même existence, faire les mêmes rencontres, vivre les mêmes événements. L'une donnera du sens à ce qui lui arrive, aimera la vie et en verra toute la beauté, malgré la douleur et les obstacles. L'autre peut n'y voir que les difficultés, être écrasée par elles, trouver la vie absurde et détestable. Tout réside dans notre regard. Tout réside dans la représentation que nous nous faisons du monde. Tout réside dans notre liberté à consentir à ce qui est ou à refuser ce qui est. Tout réside dans notre désir, ou non, de grandir en humanité, en connaissance et en amour. Si tu as ce désir, Hugo, tu sauras utiliser chaque expérience comme une occasion de t'améliorer, d'être plus lucide, de quitter tes peurs et d'aimer plus. Et une joie habitera ton âme. Une joie profonde, que rien ni personne ne pourra t'enlever. C'est cette joie qui chante dans mon cœur depuis si longtemps, malgré tant d'épreuves et de difficultés.

48

France, juillet 2019

Blanche sent soudain le poids d'une immense fatigue écraser sa poitrine. Elle sait que la fin de cette existence est toute proche. Hugo le ressent aussi et tente de lui apporter un peu d'aise. Du regard, Blanche lui fait comprendre que c'est inutile. Puis elle ferme les yeux, inspire et expire profondément. Au bout d'un moment, elle les rouvre et murmure :

— Mon Dieu, merci pour cette vie. Merci pour tous ceux qui ont croisé ma route. Merci pour maman, pour Nathan, pour Jules, pour Jean, pour Hugo. Merci pour tous ces êtres invisibles qui m'ont soutenue.

Après un temps, Hugo ne peut s'empêcher de murmurer à Blanche :

— Vous croyez donc en Dieu ? Un Dieu personnel qu'on prie, comme celui de la Bible, et pas simplement le Dieu cosmique et impersonnel de Spinoza ?

Blanche sourit.

— Ma raison conçoit Dieu comme la substance de tout ce qui est, mais mon cœur s'adresse à lui comme un enfant parle à son père, à sa mère. Car l'amour est l'énergie la plus puissante au monde et quand notre cœur est rempli d'amour, on ressent le désir de s'adresser à quelqu'un. L'amour est la mélodie secrète de l'univers. Celle qui fait vibrer tous les êtres vivants et les relie entre eux. C'est la Réalité ultime et cette Réalité ultime, cela ne me gêne pas de l'appeler Dieu lorsque je m'adresse à elle. Puisque comme le dit cette parole de Jésus, qui résume l'essentiel du message biblique, « Dieu est amour ».

Hugo ne saisit pas pleinement les paroles de Blanche, mais, finalement, peu lui importe. Il la sent apaisée et c'est cela qui compte le plus à ses yeux. Il aurait encore tant à lui demander, mais il sait que la fin de son amie est imminente. Il préfère savourer ces derniers instants auprès d'elle, dans un cœur à cœur silencieux. Blanche finit par rompre ce moment de communion :

— J'aimerais écouter une dernière fois un morceau de musique classique que j'aime tant. Tu pourrais l'avoir par ton téléphone ?

— Bien sûr ! Lequel ?

— Le *Miserere* d'Allegri.

En moins de vingt secondes, Hugo trouve le morceau et met le haut-parleur. Il ressent des frissons en entendant le chœur d'enfants chanter. Blanche murmure, les yeux humides :

— C'est ce que je connais de plus ressemblant aux chœurs angéliques que j'ai entendus jadis.

Une fois le morceau fini, Hugo confesse, la gorge serrée :

— C'est sublime, Blanche, même si je ne comprends pas les paroles en latin.

— C'est le psaume 50, l'une des plus belles prières de la Bible, attribuée au roi David. Sais-tu que cette œuvre était la propriété du Vatican et qu'elle ne pouvait être jouée que dans la chapelle Sixtine, le mercredi et le vendredi de la Semaine sainte ? Nul n'avait le droit d'en recopier ni diffuser la partition, sous peine d'excommunication.

— Comment nous est-elle parvenue ?

— Grâce à Mozart ! Lorsqu'il avait quatorze ans, il est allé à Rome avec son père, pendant la Semaine sainte. Il a été tellement subjugué par cette œuvre qu'il l'a retranscrite de mémoire le soir même et par la suite diffusée dans toute l'Europe.

— C'est incroyable.

— Oui, et ce n'est pas une légende ! Du coup, le Vatican a accepté de transmettre la partition originale, qui n'avait que quelques menues différences avec celle retranscrite d'oreille par le jeune Mozart.

— Quelle belle histoire ! Je vais garder ce morceau dans ma play-list et je penserai à vous chaque fois que je l'écouterai.

— J'aimerais que tu le mettes lors de mon enterrement, où il n'y aura sans doute que toi et ma concierge. Mets aussi l'adagio du *Concerto pour clarinette en la majeur* de Mozart. C'est aussi beau.

Hugo note sur son smartphone. Blanche reprend avec un sourire :

— Et puis encore « Let It Be », des Beatles !

— C'est promis, Blanche. Et c'est archi sûr que j'y serai.

— Oh tu sais, même si tu n'y es pas, ce n'est pas si important que ça : mon cadavre sera là, mais mon âme sera ailleurs, toute baignée de lumière.

49

France, juillet 2019

Blanche sourit. Elle sent ses dernières forces la quitter. Un petit vent se lève. La vieille femme demande à Hugo de l'asseoir à même le sable. Le jeune homme prend Blanche dans ses bras et l'assied entre ses jambes, sur le sable encore chaud. Il l'enserre de ses bras vigoureux. Il sent que sa respiration ralentit et il l'entend pousser quelques soupirs. Les deux amis contemplent le soleil descendre sur l'océan. Les mouettes dansent au-dessus d'eux et leurs cris se mêlent aux vagues, comme un ultime chant du monde dédié à Blanche qui quitte cette terre. Sa respiration ralentit encore. Bientôt, le soleil disparaît à l'horizon. Hugo entend un mot s'échapper de la bouche de Blanche, un mot dont il ne comprend pas le sens : « Toda ». Quelques instants après, Blanche pousse un profond soupir. Hugo réalise bientôt que la vieille femme ne respire plus. Il la regarde. Ses yeux sont clos, mais son visage est comme illuminé de joie. Il la serre de toutes ses forces contre son cœur. Des larmes le secouent pendant un long moment. Il allonge le corps de son amie sur la dune, puis il met le *Miserere* d'Allegri sur son smartphone. Il ouvre ensuite au hasard *Les Contemplations* pour lui rendre un ultime hommage. Il lit lentement, à haute voix, sur les notes d'Allegri, le texte qui s'offre à ses yeux, que le poète avait écrit après le décès de sa fille adorée. Au fur et à mesure de la lecture, son âme et son regard se troublent :

Demain, dès l'aube, à l'heure où blanchit la
campagne,
Je partirai. Vois-tu, je sais que tu m'attends.
J'irai par la forêt, j'irai par la montagne.
Je ne puis demeurer loin de toi plus longtemps.

Je marcherai les yeux fixés sur mes pensées,
Sans rien voir au dehors, sans entendre aucun
bruit,
Seul, inconnu, le dos courbé, les mains croisées,
Triste, et le jour pour moi sera comme la nuit.

Je ne regarderai ni l'or du soir qui tombe,
Ni les voiles au loin descendant vers Harfleur,
Et quand j'arriverai, je mettrai sur ta tombe
Un bouquet de houx vert et de bruyère en fleur.

France, entre le temps et l'éternité

Blanche regarde Hugo lire le poème. Elle est si apaisée. Elle le voit ensuite porter son corps vers la mer et l'y tremper. «Quelle délicieuse attention», pense-t-elle. Un sentiment l'attache encore à cette terre: la compassion pour Hugo, dont elle ressent toute la tristesse. Elle continue à le regarder jusqu'à l'aube. Hugo reste toute la nuit blotti contre son corps. Son cœur est à la fois triste et joyeux. Triste de perdre la présence de son amie. Joyeux de tout ce que cette rencontre a transformé en lui. Quelques mouettes lancent leurs cris pour saluer la naissance du jour. Hugo s'endort enfin. Blanche s'approche aussi près qu'elle le peut et lui murmure à l'oreille: «Je t'aime, Hugo. Belle vie à toi.» Hugo sourit dans son sommeil. Blanche s'éloigne doucement. Une colonne de lumière resplendissante s'ouvre au-dessus d'elle. Elle se laisse aspirer et commence son ascension vers la plénitude de Vie. Son être est rempli d'amour, de joie, de gratitude.

REMERCIEMENTS

Je remercie de tout cœur celles et ceux, amis ou experts, qui m'ont fait part de leurs remarques pertinentes qui ont permis d'enrichir ce livre : Julie Klotz, Dr Marie Juston, Patrice Van Eersel, Astrid Heyman Valois, Marie-Pierre Lenoir, Roselyne Giacchero, Patricia Penot, Dr Damien du Perron, Nawel Gafsia, Nuria Garcia Rodriguez. Merci aussi à mon éditeur, Francis Esménard, pour sa confiance et son amitié.

DU MÊME AUTEUR :
(bibliographie sélective)

Fictions

CŒUR DE CRISTAL, Robert Laffont, 2014.

NINA, avec Simonetta Greggio, Stock, 2013.

L'ÂME DU MONDE, conte, NiL, 2012. Version illustrée par Alexis Chabert, Éditions NiL, 2013.

LA PAROLE PERDUE, avec Violette Cabesos, Albin Michel, 2011.

BONTÉ DIVINE !, avec Louis Michel Colla, théâtre, Albin Michel, 2009.

L'ÉLU, LE FABULEUX BILAN DES ANNÉES BUSH, scénario d'une BD dessinée par Alexis Chabert, Écho des savanes, 2008.

L'ORACLE DELLA LUNA, Albin Michel, 2006.

LA PROMESSE DE L'ANGE, avec Violette Cabesos, Albin Michel, 2004. Prix des Maisons de la Presse 2004.

LA PROPHÉTIE DES DEUX MONDES, scénario d'une saga BD

dessinée par Alexis Chabert. Tome 1 : « L'Étoile d'Ishâ »,
Albin Michel, 2003. Tome 2 : « Le Pays sans retour »,
Albin Michel, 2004. Tome 3 : « Solâna », Albin Michel,
2005. Tome 4 : « La Nuit du Serment », Vent des savanes,
2008.

LE SECRET, conte, Albin Michel, 2001.

Essais et documents

MÉDITER À CŒUR OUVERT, Nil, 2018.

LA SAGESSE EXPLIQUÉE À CEUX QUI LA CHERCHENT, Le
Seuil, 2018.

LE MIRACLE SPINOZA, Fayard, 2017.

LETTRE OUVERTE AUX ANIMAUX, Fayard, 2017.

PHILOSOPHER ET MÉDITER AVEC LES ENFANTS, Albin
Michel, 2016.

LA PUISSANCE DE LA JOIE, Fayard, 2015.

FRANÇOIS, LE PRINTEMPS DE L'ÉVANGILE, Fayard, 2014.

DU BONHEUR, UN VOYAGE PHILOSOPHIQUE, Fayard, 2013.

LA GUÉRISON DU MONDE, Fayard, 2012.

PETIT TRAITÉ DE VIE INTÉRIEURE, Plon, 2010.

COMMENT JÉSUS EST DEVENU DIEU, Fayard, 2010.

LA SAGA DES FRANCS-MAÇONS, avec Marie-France Etchegoin,
Robert Laffont, 2009.

SOCRATE, JÉSUS, BOUDDHA, Fayard, 2009.

PETIT TRAITÉ D'HISTOIRE DES RELIGIONS, Plon, 2008.

TIBET, LE MOMENT DE VÉRITÉ, Plon, 2008. Prix « Livres et
Droits de l'Homme » 2008.

LE CHRIST PHILOSOPHE, Plon, 2007.

CODE DA VINCI, L'ENQUÊTE, avec Marie-France Etchegoin, Robert Laffont, 2004.

LES MÉTAMORPHOSES DE DIEU, Plon, 2003. Prix européen des Écrivains de langue française 2004.

L'ÉPOPÉE DES TIBÉTAINS, avec Laurent Deshayes, Fayard, 2002.

LA RENCONTRE DU BOUDDHISME ET DE L'OCCIDENT, Fayard, 1999. Albin Michel, «Spiritualités vivantes», 2001.

LE BOUDDHISME EN FRANCE, Fayard, 1999.

SECTES, MENSONGES ET IDÉAUX, avec Nathalie Luca, Bayard, 1998.

LE TEMPS DE LA RESPONSABILITÉ, préface de Paul Ricœur, Fayard, 1991.

Le Livre de Poche s'engage pour
l'environnement en réduisant
l'empreinte carbone de ses livres.
Celle de cet exemplaire est de :
200 g éq. CO$_2$
Rendez-vous sur
www.livredepoche-durable.fr

PAPIER À BASE DE
FIBRES CERTIFIÉES

Composition réalisée par MAURY-IMPRIMEUR

———————————

Achevé d'imprimer en France par
CPI BRODARD & TAUPIN (72200 La Flèche)
en janvier 2021
N° d'impression : 3041721
Dépôt légal 1re publication : février 2021
LIBRAIRIE GÉNÉRALE FRANÇAISE
21, rue du Montparnasse – 75298 Paris Cedex 06